Vergeef me

Frédéric Beigbeder

Vergeef me

Uit het Frans vertaald door Manik Sarkar

DE GEUS

Ouvrage publié avec le concours du Ministère français chargé de la culture – Centre National du Livre. Deze uitgave is mede mogelijk gemaakt dankzij een bijdrage van het Franse ministerie van Cultuur – Centre National du Livre

Het citaat uit *Jevgeni Onegin* van A.S. Poesjkin is afkomstig uit *Verzamelde werken* deel 2. Vertaling W. Jonker (Van Oorschot, 1989).

Oorspronkelijke titel *Au secours pardon*, verschenen bij Grasset
Oorspronkelijke tekst © Éditions Grasset & Fasquelle, 2007
Nederlandse vertaling © Manik Sarkar en De Geus BV, Breda 2008
Omslagontwerp Stef van Zimmeren | Riesenkind
Omslagillustratie © Sonia Sieff
Druk Koninklijke Wöhrmann BV, Zutphen
ISBN 978 90 445 1206 9
NUR 302

Aan mij!

'Ik heb maar één doel: vrij zijn. Daar offer ik alles aan op. Maar vaak, heel vaak, vraag ik me af wat die vrijheid me zal brengen ... Wat moet ik doen, eenzaam te midden van de onbekende menigte?'

DOSTOJEVSKI,
Brief aan zijn broer, 16 augustus 1839.

EERSTE DEEL

WINTER

(ZIMA)

'Dan zijn we het dus eens, heren', zei hij, terwijl hij zich in zijn fauteuil liet zakken en een sigaar opstak. 'Ieder van ons vertelt het verhaal van zijn eerste liefde. Sergei Nikolajevitsj, het woord is aan u.'

Ivan Toergenjev,
De eerste liefde, 1860.

I

In het jaar dat ik veertig werd, werd ik gek. Tot dan toe had ik gedaan alsof ik normaal was, zoals iedereen. De echte waanzin begint als de sociale komedie eindigt. Het was kort na mijn tweede scheiding. Ik had nog wat geld; mijn land had ik verlaten. Ik had liefgehad en ik zou nog liefhebben, maar ik hoopte dat ik het zonder liefde zou kunnen stellen, die 'lachwekkende emotie die gepaard gaat met onhandige bewegingen', zoals Théophile Gautier het uitdrukte. Bovendien was ik met alle harddrugs gestopt – waarom zou ik voor liefde een uitzondering maken? Voor het eerst sinds mijn geboorte woonde ik alleen en ik was van plan om daar eens een tijdje van te genieten. Misschien was ik het evenbeeld van de tijd waarin ik leefde, die ook geen structuur heeft. Ik moet bekennen dat het dodelijk saai is om te leven zonder ruggengraat. Ik heb geen idee hoe de andere ongewervelden het volhouden. Ik was opgegroeid in een ontwricht gezin, en daarna had ik mijn eigen gezin ontwricht. Ik had geen vaderland, geen wortels, geen relaties in welke vorm dan ook, alleen een vergeten kindertijd waarvan de foto's onecht leken, en een laptop met wifi die me de illusie gaf dat ik met de rest van het universum was verbonden. Ik beschouwde geheugenverlies als het summum van vrijheid: een veelvoorkomende kwaal in deze tijd. Ik reisde zonder bagage en huurde gemeubileerde appartementen. Lijkt het u naar om te wonen te midden van meubels die je niet zelf hebt uitgekozen? Daar ben ik het niet mee eens. Het is juist veel deprimerender om urenlang in een winkel tussen twee stoelen te staan twijfelen. Auto's konden me ook niet boeien. Mannen die hun cilinderinhoud met elkaar vergeleken, wekten mijn medelijden. Ze verspillen schrikbarend veel tijd met het opnoemen van de verschillende merken. Ik las pocketboeken waarin ik zo nu en dan een zin met balpen onderstreepte, om ze vervolgens beide in de prullenbak te gooien (de balpen en het boek). Ik probeerde niets anders te bewaren dan wat er in mijn hoofd zat; spullen waren een last, dacht ik, maar gedachten zijn dat ook, denk ik nu, en die nemen meer plaats in. In een meubelopslag in een voorstad van Parijs stonden mijn oude televisies in kartonnen dozen opgestapeld, achter in een grote loods van golfplaat. De dagen die verstreken streepte ik door in mijn agenda, als een gevangene die ze in zijn celmuur krast. Ik las geen Franse kranten meer; het nieuws hoorde ik pas weken later: 'O, is Eddie Barclay dood?' Ik kwam wekenlang de deur niet uit, was alleen met de wereld verbonden via geneesmiddelen- en spankingsites op internet. Heel 2005 heb ik niet gegeten. Ik dacht dat ik me van het verleden had ontdaan zoals je een vrouw dumpt: lafhartig en zonder haar aan te kijken. Ik beschouwde mezelf als een wereldburger. Europa zag ik als een oud monument dat je zonder gids kon bezoeken, slechts vergezeld door een draagbare gps, een zwarte doos waaruit een strenge vrouwenstem klonk: 'Na vijfhonderd meter rechtsaf.' Ik schreef briefkaarten die ik niet verstuurde. Ze stapelden zich op in een schoenendoos samen met de kaarten die retour waren gekomen met het stempel: 'Retour afzender: niet langer woonachtig op het aangegeven adres.' Ik wilde vooral niet verdrietig zijn, maar vergeten op commando is onmogelijk. Eerlijk gezegd weet ik niet waarom ik u dit allemaal vertel. Ik wil juist vertellen hoe ik erachter kwam dat je niet zonder verdriet kunt.

2

Mijn beroep was eigenlijk geen beroep: ik was 'talentscout'; alleen al de naam is pathetisch. Ik werd betaald om het mooiste meisje van de wereld te vinden, en in Rusland was er keuze te over. Soms voelde ik me een parasiet, een smokkelaar, een pooier, een aasgier die zich uitsluitend met vers vlees voedt, een kapitein Ahab wiens witte walvis Mirjana, Loeba of Varvara heette. Mijn carrière hing af van een paar maten, een borstomvang, een geprononceerde welving of een schalks profiel. Ik had maar één blik nodig om een eigenwijs neusje, een lieflijke mond, een mooi gewelfd voorhoofd of een nimf in een zijdecocon te herkennen. Ik zocht naar de juiste verhouding tussen de afstand tussen de ogen en de lengte van de hals, de perfecte tegenstelling tussen de schaamteloosheid van een ontluikende boezem en de onschuld van een welgevormd sleutelbeen. Schoonheid is een wiskundige vergelijking: de afstand van de neusbrug tot de kin moet gelijk zijn aan die van de bovenrand van het voorhoofd tot de wenkbrauwen. Er dienen regels in acht te worden genomen, waaronder die van de gulden snede (1,61803399): de hoogte van de piramide van Cheops gedeeld door de helft van de basis. Je lichaamslengte gedeeld door de afstand van de grond tot je navel moet dat getal opleveren, evenals de afstand van de grond tot je navel gedeeld door de afstand van je navel tot je kruin. Zo niet, dan ben je niet te neuken.

Mijn dagen zagen er eenvoudig uit: lang uitslapen, rond twee uur 's middags opstaan, de rest van de middag castings en fotosessies en 's avonds visitekaartjes uitdelen. Mijn grote voorbeeld was Dominique Galas, de beroemde Fransman die in 1987 Claudia Schiffer ontdekte in een discotheek in Düsseldorf. Ik heb hem een keer ontmoet op het strand van Saint-Barthélemy, waar hij op zijn drieënveertigste met pensioen was gegaan: een charmante man, vrij goed geconserveerd voor iemand die twintig jaar niet geslapen heeft. Wij schoonheidsrecruiters hebben een zwaar beroep: hoe vaak heb ik niet gedacht dat ik op een zeldzame parel was gestuit, hét model van morgen, met de rondingen van de eeuw, om als ik dichterbij kwam te ontdekken dat het een vettig, puistig of verwelkt wezen was met ballonkuiten, een wijkende kin, slap haar, een leeghangende strapless beha of knokige knieën. Galas had een lijfspreuk (een omkering van Oscar Wilde): 'Pas op voor de eerste indruk, want die is altijd verkeerd.' Er was niets opvallends aan Claudia Schiffer toen hij haar op een Germaanse dansvloer zag heupwiegen. Een lange, Teutoonse stengel zoals er duizenden zijn, met vierkante schouders en vierkante tanden. Maar hij wist het potentieel van een nieuwe Bardot in haar te ontwaren. Net als Gia, de Georgische scout die in Nizjni Novgorod Natalia Vodianova ontdekte, of Tigran, de Armeniër die de scouting in Moskou beheerst met zijn scherpe blik, zijn helikoptervisie en zijn connecties. Hier kun je als model finder niet zomaar wat aanrotzooien: je moet ingangen vinden, contacten onderhouden en regels in acht nemen, waarvan de zes belangrijkste hier volgen:

1. Maak geen seksueel misbruik van de meisjes (tenzij ze erom vragen),
2. Vraag een meisje nooit naar haar mobiele nummer als ze al onder contract staat bij Gia of Tigran,
3. Verplaats je altijd per auto, met chauffeur en lijfwachten,
4. Spreek nooit meisjes aan die 's nachts een zonnebril dragen,
5. Blijf van de cocaïne af, en
6. Word vooral nooit verliefd.

Het is een raadsel waarom iemand fotogeniek is. Sommige meisjes zijn subliem in vlees en bloed, maar hebben een camera niets te bieden. Die kun je dus beter bespringen in plaats van contracteren. De meisjes die in levenden lijve het meeste stralen, houden geen licht vast, terwijl een grietje met een bolle neus en diepliggende ogen de moeite waard kan zijn als zij dat grote geschenk van de hemel heeft gekregen dat de camera van haar houdt. Het is een kwestie van botstructuur en persoonlijkheid, schaduw op de wangen, wilskracht in de kin, iets melancholisch of dierlijks in de houding. Daarom ga ik nooit op pad zonder mijn goede oude polaroid. Digitale toestellen vervlakken de diepte en bezoedelen het haar. Corinne Day ontdekte Kate Moss voor haar eerste fotoserie in *The Face* door een polaroid, gemaakt door Sarah Doukas van het Londense modellenbureau Storm die haar in New York op het vliegveld had gezien. De kleine Engelse was veertien jaar oud en droomde ervan om stewardess te worden; nu verdient ze dertig miljoen pond per jaar (en haar scout krijgt 10% van alles wat ze verdient! Daar droom ik soms over!). Ik denk niet dat Kate Moss tegenwoordig ooit nog een lijnvlucht neemt.

3

Mijn werk bestond eruit dat ik moest weten waar mannen een stijve van krijgen. De meisjes die vrouwen tot consumeren kunnen bewegen, zijn dezelfde die hun echtgenoten opwinden. En wat mannen opwond aan het begin van de eenentwintigste eeuw, was puurheid. Iedereen verlangde naar puurheid, waarschijnlijk omdat de mensen elkaar zo smerig vonden. Mannen werden alleen nog maar aangetrokken door kinderlijke lichamen, en als gevolg daarvan kleedden vrouwen zich als roze bakvisjes. Ik ben altijd op mijn hoede geweest voor mannen die zich met jonge meisjes vertonen: dat zijn patsers uit Saint-Tropez of stiekeme nichten. Ze pronkten met hun meisjes als automobilisten achter het stuur van hun nieuwe sportcoupé. In deze tijd, waarin mooie vrouwen trofeeën zijn geworden, leken sommige avonden wel teckelshows: het ging erom wie het jongste beestje aan zijn arm had. De mannen vergeleken de lichamen van hun gezelschapsdiertjes, de kleur van hun ogen, de geur van hun haar en de lengte van de riem.

'Kijk eens naar mijn jonge verloofde met de helderblauwe ogen.'

'En zie mijn porseleinen popje met krullende wimpers.'

'Te oud. Heeft je spamfilter het begeven?'

'Die van jou lijkt op m'n oma, o nee, correctie: op m'n opa. Waarom pak je haar kleine zusje niet?'

'Bij die van jou kun je beter de dochter nemen.'

(Gelach)

'Gelukkig spreken die sletjes geen Frans!'

'Toe maar, kus haar wangen maar, die stoppels van jou schrapen een hele laag make-up weg, daar gaat haar babyteint van blinken.'

'Hou je kop, ik ben verliefd.'

'Je mag alles van me lenen, behalve haar.'

'Maak je niet druk, ik hoef geen "b.u.'tjes"' ('tweedehandsjes' in het Russisch).

Ook de vrouwen hielden elkaar voortdurend in de gaten, als hoeren op een straathoek.
'Ik heb grotere borsten dan jij!'
'Klopt, maar die van mij zijn echt!'
Overal werden lichamen gewogen, als op de markt. Iedereen wilde uniek zijn, maar eigenlijk wilde iedereen op de dezelfde tijdschriftcover lijken. En aan emoties had men geen boodschap. We dachten dat we verliefd waren, maar eigenlijk gehoorzaamden we alleen aan een reclamecampagne van Guess. We hadden het tijdperk betreden van sexappeal waar niets menselijks meer aan was. Vanzelfsprekend was dat het enige tijdperk dat ik heb meegemaakt, dus ik kan niet vergelijken, maar ik geloof niet dat de mensheid ooit eerder zo jaloers op elkaar was geweest. Sinds het egocentrisme de dominante ideologie was geworden, was de mens volkomen dolgedraaid. De reclamemakers die de mondiale look voorschreven beschikten over een historisch ongeëvenaarde slagkracht. De bedragen die jaarlijks aan de inkoop van advertentieruimte werden besteed zouden de honger in de wereld tien keer hebben kunnen uitbannen, maar het werd dringender geacht om de wereld te bombarderen met gezichten, zodat al die hongerlijders de luxemerken top of mind zouden houden. Een filosoof uit Karlsruhe, Peter Sloterdijk, sprak over 'erotisering zonder grenzen'. Ik vermoed dat een grote meerderheid van de geërotiseerde jongeren, als Condé Nast Publications erom zou vragen, een nieuwe oorlog zou zijn begonnen als ze daarmee de volgende *Vogue* zouden halen.

Het was een tijd waarin de enige utopie lichamelijk was. De televisieserie die het eerste decennium van de eenentwintigste eeuw het beste samenvatte heette *Nip/Tuck*. Daarin legden twee plastisch chirurgen uit Miami het als volgt uit aan hun klanten: 'Als je de strijd voor perfectie opgeeft, kun je net zo goed doodgaan.' Een paar dialogen uit die serie ken ik uit mijn hoofd. In de titelsong zingt een meisje met hoge stem: 'Make me beautiful. A perfect mind, a perfect face, a perfect life.' Mijn lievelingsaflevering is de derde, waarin een zwaarlijvige vrouw een kogel in haar mond schiet omdat dokter McNamara geen liposuctie wil uitvoeren. De hersenen van de dikke vrouw spatten over de foto's van topmodellen die ze aan de muur heeft geprikt. Een zeer ontroerend tafereel eigenlijk: de bloederige smurrie die langs de hals van Elle Macpherson druipt, gevolgd door een panoramashot van het breedheupige lijk, liggend op het tapijt als een gestrande witte walvis op South Beach. Dan een shot van de smetteloos blauwe lucht boven Florida, symbool voor de afwezigheid van leed.

Het menselijk oog wordt spontaan aangetrokken door regelmatige trekken, een gladde huid en het oppervlak van lippen. Een regelmatige neusrug vergemakkelijkt de intermenselijke betrekkingen. Het is geen toeval dat een grote borstpartij in het Frans 'conversatie' wordt genoemd, want die brengt zij vaak op gang. Het is logisch dat mooie mensen meer verdienen dan lelijke, want ze brengen meer geld op. Dus voor een salarisverhoging moet je je inspuiten met een vergif, botuline, om hogerop te komen op je werk moet je met behulp van een periareolaire incisie iedere borst vijftig gram zwaarder laten maken, en om de sociale ladder te beklimmen moet je het vet in je wangen laten herschikken en je kaak laten vergroten. Probeert u het zelf maar eens: u zult merken dat u liever met jonge, mooie mensen werkt, dat u zich beter voelt met mensen die geen wallen onder hun ogen hebben, dat u gemakkelijker gehoorzaamt aan symmetrische, gladde gezichten die niet hangen van ouderdom. De uiterlijke schijn is niet alleen gered, maar heeft het ook voor het zeggen.

4

Ik weet niet zeker of ik een hart heb, maar ik heb wel een kloppend lichaam. Ik ben er niet van overtuigd dat ik de vergeving van uw God verdien, maar alles te kunnen vertellen zal me zeker evenveel goed doen als een psychoanalyse en het is een stuk minder duur. Uw enorme kerk, die volhangt met iconen, is als de comfortabelste divan, ondanks de tocht. Ik heb hem op een ijzig koude nacht ontdekt, toen ik uit trots en dronkenschap te voet naar huis wilde. 'Na vijftig meter linksaf', zei mijn robotvriendin die in mijn jaszak zat opgesloten. De verblindende volle maan was op uw kerktoren gespietst als een hoer op een klant. Ik bleef staan om deze enorme schuimtaart, die aan de rand van de ijsrivier is neergeplempt, eens goed te bekijken. De schaduw van de bouwkranen verdeelde de sneeuw in vakken; ik liep over een kruiswoordpuzzel. Was het tij in mijn hoofd onder invloed van de volle maan gestegen? Ik kon mijn blik niet van uw massieve kathedraal afwenden, hij deed me denken aan de dôme des Invalides waaronder Napoleon zich liet begraven toen hij zijn pogingen om uw land te veroveren had opgegeven. Ondanks de smeekbedes van juffrouw gps liep ik over het kerkplein totdat ik ter plekke bevroor (Kunt u zich die nacht herinneren? Het was negenendertig graden onder nul). Wat was ik verbaasd toen ik uw heilige bouwwerk eindelijk voorzichtig durfde te naderen en u naar buiten zag komen, vader Jerochpromandrit, warm ingepakt in uw grote, met rijp overdekte mantel! Toen ik u in de rue Daru leerde kennen, in de tijd dat ik schnabbelde voor *Voice*, was u maar assistent-pope, een pope-stagiair zouden we bij ons zeggen, en nu bent u de baas van de grootste kerk van Moskou! Ik wist niet dat je vanaf de rue Daru in Moskou kon belanden zonder het vakje Constantinopel te passeren! U was niet veranderd, maar ik wel: door mijn vlokkige baard herkende u mij niet direct. Toen barstte u in lachen uit en gingen we schuilen in het kerkportaal, en daarna prikten we een datum voor deze biecht. Herinnert u zich de drinkgelagen in de Russische kruideniers-zaak in de rue Daru nog, minstens tien jaar geleden? Dat was nog in de twintigste eeuw, toen uw kerk nog vervolgd werd ... Hoe heette die leuke serveerster ook weer die onze kersenwodka inschonk ... Olga? Inderdaad, Olga, klopt, u hebt een goed ge-heugen ... Geeft u maar toe dat u een zwak voor haar had! Een van de eerste blondines van mijn leven. Ik herinner me dat haar borsten zo warm en rond waren als verse brioches uit de oven. Ze kon klaarkomen met alleen haar tepels, zonder dat je haar beneden hoefde aan te raken, je hoefde er alleen maar heel hard in te knijpen en ze ging al voor de bijl. Jawel, metropoliet, ik heb weleens een nacht met haar doorgebracht; het ging er zo heftig aan toe dat de muren van haar eenkamerflatje onder het dak stonden te schudden ... Ze zoende als een eskimo, door met haar neus tegen de mijne te wrijven. Ze was gek op u. U had met haar kunnen trouwen, dat mogen jullie orthodoxe priesters toch? O, nog altijd celibatair? Hahaha, niet achterlijk, die pope! Sorry, ik doe heel flauw. Wat leuk om u na al die jaren terug te zien, vader! Toeval bestaat niet: we hadden een afspraak. Ik dacht dat ik doodvroor, die nacht dat ik beloofde om nog eens terug te komen. Sindsdien doe ik wat iedereen doet: ik draag een belachelijke bontmuts en een groen jack van goretex. Kou is een probaat middel tegen dandyisme.

5

De truc is om te wachten totdat je prooi zich bukt om iets uit haar tas te pakken. Een beweging van prehistorische origine, die ze vroeger of later wel moeten maken wanneer ze hun rouge bijwerken, hun neus snuiten, Ventolin tegen de astma nemen of een sigaret opsteken, en daar is het roofdier, weggedoken in de schaduw, loerend op de roze string die boven de Diesel-spijkerbroek uitkomt ... Ze voelen zich kwetsbaar en naakt als een man naast hen neerknielt; de belachelijkheid van de aapachtige houding schept een gevoel van verbondenheid. Met de voeten uit elkaar en een blootliggende bilspleet sta je minder sterk; je houdt elkaar scherp in de gaten. Je zou het baviaanse verbroedering kunnen noemen.

Mijn aanspreektechniek bestond eruit dat ik zonder toestemming te vragen een eerste polaroid nam. Gewoonlijk protesteerden ze: wie dacht die indringer, die loser, die freak wel dat hij was, en dan legde ik met mijn Franse accent uit hoe ik heette, wat voor werk ik deed, dat ik op zoek was naar het summum van schoonheid. Heette ze Tatjana, Anja of Olena? Had ze weleens van de *Russian Fashion Week* gehoord? Wilde ze een headshot van zichzelf zien, o, kijk, hij is al ontwikkeld? Wat zou ze ervan zeggen om een mass market-icoon te worden? Soms was het beter als er bij het eerste contact niets werd gezegd. Waarom? Omdat de consumenten die de plaatjes te zien krijgen ons ook niet konden horen. Ik mocht graag naar ze kijken alsof ze al op een bushokje hingen. Als je de prooi in je greep had, moest je de tijd weten te nemen, als een verliefde gier, je moest een paar meter van haar af gaan zitten om haar te doorgronden. Waarom droegen ze allemaal hetzelfde parfum (Chance van Chanel)? Was het gebit gezond of zouden er keramische tandfacetten ingezet moeten worden? Was de kleur van het haar echt of zat er supermarktverf op? Hingen er hairextensions aan die van de schedels van Indiase bedelaressen uit Bangalore waren afgeschoren? Zaten er synthetische, amandelvormige nepnagels aan stompe vingertjes om ze langer te maken? Was ze al rondborstig genoeg of zouden er ergonomische protheses van 295 kubieke centimeter geïmplanteerd moeten worden? Waren de benen lang genoeg of werden er bij het neerknielen plateauzolen zichtbaar? Was hun kont triest, plat of uitgezakt zodat er een gluteoplastie (implantatie met cohesieve siliconen) of een phatidylcholine-injectie aan te pas moesten komen om het vet rond het middel plaatselijk te laten oplossen? Had ze een arendsneus die we in Photoshop zouden moeten bijschaven? Was de gezichtshuid gezond of overdekt met camouflagestift en gebruind met uv-licht? Had ze een rib laten weghalen? Was ze geschikter voor foto's of voor modeshows – met andere woorden: was haar gedrag in overeenstemming met haar gezicht? Hoe liep ze? Hoe ademde ze? Had ik zin om haar te kussen (een goed teken), met haar te trouwen (nog betere handel) of in haar hals te bijten (direct een exclusief contract aanbieden)?

Tegenwoordig zijn op het eerste gezicht alle vrouwen mooi, want ze weten allemaal hoe ze hun tekortkomingen moeten verbergen. Het is ons werk om verder te kijken dan de gekleurde lenzen, de valse wimpers, de overdadige blush, de afkledende zwarte jurkjes, de figuurcorrigerende step-ins, de Newton-tartende Wonderbra's (Isaac, niet Helmut), de liposucties, de rinoplastiek en het hyaluronan dat ze vanaf hun zestiende in hun lippen laten spuiten. Om ons te misleiden beschikken ze over een heel arsenaal aan trucs om goed voor de dag te komen: het beroep van scout bestaat uit het onderscheiden van het topproduct van de draak in vermomming. Vergissingen zijn niet toegestaan. Op je bek gaan kost veel geld: vliegtickets, de huur van de appartementen in Parijs, de productie van de comp cards, de kratten champagne en de drugs, nog los van het feit dat we onze bookers niet met werk gaan overladen om de Natasja in kwestie een jaar later weer terug naar haar ouderlijke toendra te moeten sturen, depressief, verslaafd en afgeleefd. Het moge duidelijk zijn dat we wel iets beters te doen hebben dan de babysitter uithangen van de toekomstige lapdancers van Jekaterinenburg of Kaliningrad. De toppers van de modellenbureaus (David Kane van Reservoir Tops, Jean-François Blondel van Melody, John Vegas en Bertrand Folly van Aristo, Andrei Krapotkin van Starsystem, Xavier Antoine van Marylou en de jongens van Lumière uit São Paulo) kunnen je in tien seconden de maten van een onbekende geven. Dat was ook mijn nachtelijke lievelingsspelletje geworden: meisjes aanspreken en hun die drie beslissende getallen toewerpen. 'Let me guess: 85-59-81?' (Af en toe maakte ik de cijfers wat mooier om aardig te doen: 'One meter seventy-eight? Forty-nine kilos?') Buiten gierde de blizzard; de rode tegelvloer van de toiletten van de First was getooid met het logo van Trussardi; voor Café Vogue stonden drie huurrijtuigen rillend in de sneeuw te wachten om me voor tweehonderd roebel stomdronken naar de Galleria te brengen. Af en toe trilde ik mee op het ritme van dit feeërieke decor; de witheid gaf alles wat je zag een wonderlijk aura, en een ogenblik lang leek de wereld te kloppen.

Je moest de meisjes vinden voordat ze op een oliemagnaat of bankier stuitten, want dan waren ze verpest. Dan wilden ze niet meer werken, kregen ze meteen een flatje en een autootje. Nee, pope, ik zeg niet dat die mokkels hoeren waren, het waren gewoon arme sloebers die gebruikmaakten van het enige wapen waarover ze beschikten. In Moskou moest je snel je slag slaan; je moest ze op steeds jongere leeftijd te pakken krijgen, voordat Peter Listerman een diamant in hun mond legde. Kent u die niet? Da's een Israëliër met een olympisch zwembad en een skibaan in zijn datsja. Hij is niet gemakkelijk te weerstaan, ze vallen als een blok voor hem, stuk voor stuk! En daarna willen ze geen foto's meer laten maken voor minder dan honderdduizend euro per uur. Neem Anna Kuznetsova bijvoorbeeld, de ster van Avant Agency, ontdekt in het dorpje Medvetsevo. Ze is nog maar zeventien en nu al buiten bereik! En sinds die fotoshoot door David Sims, afgelopen maand, is Tanja Dzjagileva klaar voor de aanval ... Ja, vader, ik had me in de zwanenoorlog gestort. Ik herinner me dat de meeste scouts die ik tegenkwam altijd meteen de leeftijd van hun vriendinnetjes noemden als ze ze voorstelden.

'Dit is Nadia, vijftien jaar.'

'May I introduce to you Oeljana, she's fourteen.'

'Ken je Svetlana, dertien?'

'Hi, how are you, I will be legal in two years.'

We namen ze steeds jonger, net als in Frankrijk. Audrey Marnay bijvoorbeeld debuteerde op haar veertiende, nu doet ze films en juwelen; ze is zesentwintig en haar carrière als topmodel is alweer voorbij. Toen ik in Rusland aankwam, stelde ik mezelf de vraag: tot welke leeftijd ben ik bereid te gaan? De wettelijke grens voor seks is vijftien jaar en drie maanden, maar iedereen weet dat ze al op hun dertiende beginnen te neuken; jonger dan dat en het wordt walgelijk. Maar waar ligt de grens voor een foto, een reclamespotje, een photo call per webcam, een lingerieshow, een huidtest? Aanvankelijk dacht ik dat ik de enige was die me er zorgen over maakte dat de hele bedrijfstak langzaam pedofiel werd. Mijn collega's leken er niets abnormaals aan te zien. En al snel maakte ik me ook niet meer druk. En zo droeg ik er rustig aan bij om alle mannen van de wereld met kinderen naar bed te willen laten gaan.

6

Ik heb een kromme rug gekregen van het nagelbijten en van het bespieden van meisjes. Ik versierde de puurste gezichten om ze niet te begeren. Soms neukte ik ze om ze niet te hoeven kussen. Dan had ik het gevoel dat ik glossy papier naaide. Het was heel leuk om die tijdschriftpopjes een beetje te verkreukelen. Ik had de geharde blik van iemand die rechtstreeks van frustratie in gelatenheid was vervallen. Mijn ingestudeerde onverschilligheid viel in de smaak bij de groene modelletjes. Tussen die avonden met de mooiste meisjes die ooit geboren waren door hielp ik mezelf met pillen naar de verdommenis. En dan te bedenken dat er een tijd was waarin de mens zijn pijn accepteerde! Mijn generatie heeft dat altijd geweigerd. Persoonlijk ben ik nog nooit down geweest zonder er direct een pil tegenaan te gooien. Ik ben onder verdoving opgegroeid, maar dat is niet het ergste, ik kan het maar beter direct zeggen: ik had geen flauw idee wat voor vrouw ik zocht of wat ik van het leven wilde. Deze samenleving denkt dat je het zonder wil kunt stellen, maar uiteindelijk is het nogal een probleem als je niet weet wat je wilt. Terwijl iedereen behoefte heeft aan een duidelijk omlijnd doel, worden onze doelen steeds waziger. Zonder dromen ben je een treurig dier, een zwalkende wandelaar. Word je leeg of verlies je jezelf. Dat kan een tijdlang heel aangenaam zijn, alsof je de verkeerde afslag neemt in een stad die je niet kent. Dan kun je gaan rondzwerven, het moment dat je de weg gaat vragen uitstellen, ergens gaan zitten om naar de wolken te kijken, als een grazend zoogdier in het wild. Maar al heel gauw krijgt de paniek de overhand. Je doorzoekt je zakken op zoek naar een plattegrond, een verstopplaats of een gps-kastje. Je spreekt een local aan. Houdt taxi's aan. Weinig mensen zijn moedig genoeg om echt te verdwalen. Zelf zou ik het hoe dan ook niet willen, vermoed ik. Eenzaamheid was mijn cadeau voor mijn veertigste verjaardag. Vrij zijn is zo ingewikkeld. Vrijheid is een last waarmee je leert leven, net als de dood. In Rusland beseffen ze dat beter dan waar dan ook.

Verdorie, nou draai ik er toch nog omheen waarom ik hier gekomen ben. Daar gaat-ie: ik ben een slachtoffer van vrouwelijk schoon, van het gemondialiseerde verlangen, van de seksuele samenleving, en toen ik daar ook nog mijn beroep van maakte, ben ik knettergek geworden. Ik ben naar u toe gekomen omdat ik wil veranderen, dit kan zo niet langer, ik wil niet verder zo, ook al houd ik mezelf niet verantwoordelijk voor mijn daden. Terwijl ik dit allemaal vertel, besef ik hoe laf ik ben. Ik weet dat het de ultieme troost is om jezelf een absolute loser te noemen. Dat komt me dus goed uit, maar ik zal zorgen dat ik niet meer terug kan:

— Ik ben geobsedeerd met vrouwen omdat ik sinds mijn geboorte bestookt ben met seksuele afbeeldingen (ik beschouw mezelf als slachtoffer van een nieuw soort gekte).

— Ik ben gek en dat komt door mijn ouders, ik heb hun waanzin geërfd, mijn problemen zijn niet *mijn* problemen, die van hen waren al niet van hen, enz. — hoe ver zou dat teruggaan: tot de eerste twee wereldoorlogen, de Honderdjarige Oorlog, de strijd om het vuur?

— Ik wil iedereen in de steek laten zonder dat iemand mij in de steek laat.

— Niemand is graag een slecht mens, maar toch zijn er mensen die er wel een beetje naar op zoek zijn.

— Het schijnt dat mijn gegrinnik kwetsbaar klinkt.

Hoe dan ook, al mijn neuroses zijn kostbare troeven in het beroep dat ik uitoefen. Dat heeft Daria Veledejeva me verteld, de editor-in-chief van de Russische *Grazia*.

Kortom, ik ben altijd ontevreden, zoals alle kinderen die vroeger alles mochten.

Vrouwen zijn mijn roeping. Ik wil ze veroveren als een werelddeel. Ik wil de Christoffel Columbus van de modellenwereld zijn, de Vasco da Gama van de regels van de schoonheid.

'Vergeef me, prekrasnaja,' ('schoonheid' in het Russisch) 'maar het is sterker dan ik: ik wil de doctor Livingstone van je mond zijn, de Neil Armstrong van je hals. Als ik op je tepels zuig roep ik uit: "It's a small step for a man, but a great step for mankind." Als ik je eenmaal veroverd heb, zal ik doen wat de eerste man op de maan deed: mijn vlag planten en vervolgens weer afdalen naar de aarde.'

Ik maakte ranglijsten van meisjes, hitparades van lichamen, overzichten van gezichten. (Het meest opwindende aan een vrouw is haar gezicht; mannen die beweren dat ze op borsten of billen vallen moet je nooit geloven: ze houden zich alleen met de rest bezig omdat hun vriendin een hondenkop heeft.) In plastic mappen verzamelde ik bladzijden die ik uit de *Max*, de *Mademoiselle* en de *Purple* had gescheurd. In mijn kamer heb ik een ladenkast vol uitgescheurde foto's. Op een gegeven moment raakte ik overvoerd, en dat is iets waar je niet meer overheen komt. Inmiddels ben ik eroverheen, maar het beheerst me nog steeds. Als u net zo bent als ik, dan beklaag ik u: dan bent u een modern mens.

7

Sergei, mijn oligarchische vriend, zegt vaak: 'Zatknies!' ('Hou je kop!') 'Wat zit je toch te zeuren, Octave, je komt er nog goed van af, jij: je had ook proctoloog kunnen zijn!' Deze komische miljardair heb ik tijdens mijn nachtelijke ontdekkingstochten ontmoet. Ik heb hem de bijnaam 'de Idioot' gegeven, als eerbetoon aan Dostojevski en Jean-Edern Hallier. Hij leeft omringd door knappe wannabitches, die hem aan zijn succes doen denken. Hij had een publiek avontuurtje met de Russische Paris Hilton (een zekere Xenia). Hij staat aan het hoofd van een enorm olieconglomeraat dat onder meer fabrieken bezit die de wereld voorzien van unieke ingrediënten, zeldzame essences, subtiele bestanddelen die kraaienpootjes laten verdwijnen. Hij buit de geheimzinnigheid van de bron van zijn verjongende oliën uit, zoals Coca-Cola haar formule diep in een kluis bewaart. Ik moet het hem nog eens vragen: hoe fabriceert hij die zalfjes die je de eeuwige jeugd geven? Door zijn octrooien (en zijn banden met het Kremlin) is hij een van de machtigste oligarchen van dit moment geworden. Zijn datsja in Roeblovka, vlak bij Moskou, is een uiterst aangename plek om de nacht te beëindigen, liggend op menselijke matrassen. Maar zelfs de Idioot kan me er niet van weerhouden: ik heb altijd kritiek op mijn leven. Ik kan u veel vertellen over modellenjagers, vader.

Het grootste probleem van de modellenwereld is niet nymfofilie, zelfs niet anorexia, maar racisme. We rennen allemaal achter blonde haren aan en dus moesten we het beestje maar eens bij de naam noemen: we zijn fascisten. De nazi's gaven de voorkeur aan blond: ze zouden gek geweest zijn op de Slowaakse Adriana Karembeu-Sklenarikova of de Tsjechische Karolina Kurkova, Eva Herzigova, Veronika Varekova en Petra Nemcova (het is immers geen toeval dat Hitler eerst Tsjecho-Slowakije binnenviel: de Führer wist hoe je prioriteiten stelt!). Modellenrecruiters aanbidden het arische ras: hoge jukbeenderen, lichte ogen, gezonde tanden, gespierde blankheid. Kent u de voorliefde van kameraad Stalin voor jonge ballerina's en schone amazones? Hij was al net zo'n antisemiet als Hitler. Vrouwen die niet voldeden aan de esthetische voorkeuren van dictators werden altijd op de een of andere manier geëlimineerd. Nu, in deze beste der werelden, wordt die schifting door de tijd gemaakt: als je oud en lelijk bent, word je buitengesloten. Schoonheid is een sport waarin heel veel mensen buitenspel staan. Wat is er fascistischer dan een missverkiezing? Enerzijds heb je schoonheidsconcoursen waarbij je ten overstaan van iedereen afvalt; aan de andere kant heb je pogroms op zigeuners door bendes skinheads in de metro van Moskou. Als ik het oordeel van de jury aan de jonge meisjes in badpak laat weten en ze in tranen van vreugde of wanhoop uitbarsten, voel ik me als de uitsmijter die bij de ingang van Club Diaghilev de nieuw aangekomenen schift, een gewelddaad die 'face control' heet (wat nu zelfs de naam is van een tijdschrift over het Moskovische nachtleven). Het idee achter gezichtscontroles is het bestraffen van anders-zijn. De geschiedenis herhaalt zich altijd, daar kan de democratie niets aan veranderen. Als je wilt dat Pasha (de bekendste uitsmijter van Moskou) je toelaat tot zijn etablissement kun je beter het genaaldhakte vriendinnetje van een tycoon zijn dan een 'Tsjornje', een kleurling met een stierennek. Wat dat betreft is het woord 'model' een stuk eerlijker dan 'mannequin': het draagt een idee van raciale superioriteit in zich, van conformisme aan een dominante fysiek. In Frankrijk is de situatie al precies hetzelfde: uitsmijters van nachtclubs laten Arabieren alleen binnen als het stand-up comedians zijn. Ik vraag me af of de islamitische sluier niet minder fascistisch is dan de jury van een Fashion Contest of de face controller van een discotheek. Met gezichtsbedekking hebben lelijkerds tenminste een eerlijke kans. Tuurlijk, fundamentalisten zijn debiele macho's die hun vrouwen verbieden auto te rijden, te werken of hun man te bedriegen zonder gestenigd te worden of vitriool in het gezicht te krijgen, maar één ding moet je ze nagegeven: het zijn de enige esthetische antiracisten. Het dragen van een sluier beschermt je tegen de verleiding door gelaatstrekken en het totalitarisme van leuke snoetjes. Sluiers geven vrouwen de kans om op een andere manier in de smaak te vallen dan door conformiteit aan de wetten van de schoonheid, zoals gedefinieerd in de *Numéro* van vorige maand. Wat is fascistischer: een boerka of mijn booker? O, vader, ik zie dat u zit te knikkebollen. Goed zo, knikkebol maar lekker.

Ik weet dat het slecht met me zal aflopen. De dictatuur van de schoonheid leidt tot frustratie en frustratie leidt tot haat. Je kunt niet ongestraft aan deze ideologie meewerken. Het begint ermee dat er blonde slavinnen op een muur worden geprikt om shampoo te verkopen, en het eindigt met een door de neonazibeweging georkestreerd bloedbad op Hitlers verjaardag, Jodenpogroms, zwarten die in elkaar worden geslagen, moord op Kaukasiërs, bombardementen op Tsjetsjenen, razzia's op Dagestani's. U kunt zeggen dat het u koud laat, batjoesjka, omdat het geen orthodoxen zijn. Maar mij doet het wel iets, want in Frankrijk gebeurt precies hetzelfde. Bij mij worden immigrantenkinderen standaard als delinquenten behandeld, net zo lang tot ze dat ook worden, want die arme drommels zijn zo braaf dat ze dan maar autobussen en auto's in brand steken, uit beleefdheid, om te voldoen aan het beeld dat ze vanaf hun geboorte van zichzelf krijgen opgedrongen. Want ze lijken inderdaad niet op de L'Idéal-reclame die ik volgend kwartaal ga schieten. Als de constatering dat mijn foto's evenveel slachtoffers maken als de dekolonisatie niet zo walgelijk was, zou hij bijna vleiend zijn. En als extreem rechts dan tenminste nog alleen in Frankrijk zo dicht tegen de macht zou aanschurken! In Polen, Slowakije, Bulgarije, Hongarije en Roemenië schieten de xenofobe ultranationalisten in de peilingen omhoog, als ze de macht al niet in handen hebben. Ik vraag me weleens af of het nieuwe Europa niet gebouwd is op de genocide van de Joden. Zes miljoen doden moeten wel iets teweegbrengen: we hebben de Europese Joden vermoord om de blonde Slaven aan de macht te krijgen. De nazi's hebben de strijd gewonnen; en modellenbureaus zien er geen probleem in om in ganzenpas achter ze aan te lopen.

8

Toen ik uit de gevangenis kwam, had ik een e-mailwisseling met een meisje van wie ik nog nooit een foto had gezien. Ze had mijn adres gevonden in het alumni-jaarboek van de École Bossuet. Ze was een geniaal, eenzaam en ontwikkeld meisje, ze stuurde me citaten uit onbekende gedichten en uploadde muziek die ze mooi vond: Mazzy Star, Dusty Springfield, Anthony & The Johnsons. We hadden dezelfde smaak en hoopten dat die uniek was. Ze maakte me aan het lachen en alles wat ze vertelde was uiterst erotisch. Iedere avond wilde ik niets liever dan zo snel mogelijk achter de computer kruipen om haar trieste grappen en zinnelijke belevenissen te lezen. Ze vertelde me over masturbatiesessies op de wc op kantoor, over jongens van wie ze hield maar die niet van haar hielden en anderen die onmiddellijk een blok aan je been werden, over avondjes uit waarop ze in vrouwencafés haar vriendinnen kuste en over de appelwodka die ze met hectoliters naar binnen sloeg. Na een paar weken meende ik verliefd op haar te zijn; ik vroeg of ze iets wilde afspreken. Ze wilde me niet ontmoeten, ze hield de boot af, zei dat ze vast zou tegenvallen. Ik bleef zo lang aandringen dat ze ten slotte toegaf. Uiteindelijk ontmoetten we elkaar in een hotelbar in Parijs, en toen viel alles in duigen: ze was kort en lelijk, met een dikke bril en een puistige neus. Ik schaamde me kapot dat ik mijn walging niet kon verbergen. Dagen- en dagenlang had ik vurige bekentenissen aan dit monster afgelegd … Ik had haar gesmeekt om dit glas met mij te gaan drinken. Ik had zelfs een kamer in het hotel gereserveerd voor het geval we direct de liefde zouden willen bedrijven, en nu stond ik na een kwartier beleefd converseren op en zei: 'Welnu, aangename kennismaking en tot gauw', en net als zij wist ik dat dat betekende: 'Vaarwel, lelijkerd.' Ik kuste haar rolronde hand en ik vluchtte. Sindsdien reageer ik niet meer op haar gekwetste mailtjes. Ja, ik schaam me ervoor dat ik een racistische smeerlap ben, een fashion-fascist – een fashist. Haar manier van denken, vol levensangst, en haar wrede humor waren ideaal om me te kunnen begrijpen: haar geest was perfect, haar hart had me zonder enige twijfel gelukkig kunnen maken. Maar ik ben een vieze vuile fashist, en dat is nog onvergeeflijker omdat ik in mijn jeugd dezelfde discriminatie heb moeten ondergaan … De waarheid is namelijk dat ik een voormalige lelijkerd ben die wraak neemt op zijn gelijken.

'Ik ben de vrouw die je zoekt.'
    'Als je twintig kilo lichter was!'

Wat ik haar had moeten zeggen:
    'Toen ik tien was, heeft een plastisch chirurg mijn oren onder volledige verdoving tegen mijn hoofd geplakt. De techniek bestaat uit een incisie achter de Dombo-oren om het kraakbeen een nieuwe vorm te geven en de oorschelpen te repositioneren, om ze vervolgens met hypoallergene hechtdraad strak vast te naaien. Zes dagen lang droeg ik een wit verband om mijn hoofd en een maand lang 's nachts een rekverband: mijn klasgenoten noemden me niet langer "Bloemkool", ze noemden me "Mummie". Toen de bebloede verbanden op de twintigste dag werden verwijderd en de met kleverige korsten overdekte blauwe draad was uitgehaald, had niemand door dat mijn oren niet meer onder mijn haar uitstaken. "Wie mooi wil zijn, moet pijn lijden": geloof me, ik weet wat dat betekent. Ik jankte van de pijn om er beter van te worden. Maak je dus niet druk, conformisme aan de maatschappelijke gietvorm is nergens voor nodig: je hulpgeroep blijft nog steeds onhoorbaar. Denk niet dat ik je haat, ik haat mezelf; en die zelfhaat beïnvloedt mijn relaties met de rest van de menselijke soort. Vaarwel, draak van mijn leven.'

9

Dit ben ik dus: Octave Parango, Franse talentscout, gestrand in een land dat dertig keer zo groot is als het mijne. Ik werk voor mensen die een vrouw van boven de vierentwintig gedateerd vinden. Mijn werkzaamheden laten me niet onberoerd: mijn veertigste verjaardag heb ik niet gevierd. Ik word ouder in een wereld waar je niet ouder mag worden. Ik verkleed me als jongere: zwarte gekreukte overhemden op een spijkerbroek met gaten bij de knieën, een kasjmieren V-halstrui van Zadig & Voltaire op de blote huid, op ieder uur van de dag de haren in de war alsof ik net uit bed kom, een baard van een week om er rebels uit te zien (stel je een bolsjewiek voor met de tondeuse van een kappersleerling tussen zijn tanden), sportschoenen die niet aan sport doen, strak zittende poloshirts om op een uitgemergelde, zo niet Britse zanger te lijken, een strakke broek die laag op de heupen hangt zodat mijn uitdijende buikje niet in het gedrang komt. Ik gebruik geen deodorant, want stinken is jong. Voor mijn veertigste verjaardag heb ik geen suède jack gekocht, maar twee suède jacks. Iedere ochtend maak ik mezelf aan het huilen door de witte haren die uit mijn schedel, oren en neusgaten opschieten, uit te trekken. Ik smeer een dikke laag zelfbruiner op mijn wangen, waarvan ik eerder een feloranje dan een groen blaadje word. Ik strijk voortdurend met mijn hand door mijn haar om te checken of het er nog zit. 's Avonds in bad verzamel ik de haren die op het water drijven en leg ze op de rand van de badkuip, als een maniak met obsessief-compulsieve klachten, waarna ik ze plechtig in de prullenbak begraaf. Als een oude travestiet probeer ik ieder nieuw anti-agingzalfje uit: het Dior Homme Dermo System met herstellende ß-Ecdysone en vitamine-E-fosfaat, 'Océalys' peelinggel met zeevenkel, diepreinigende antivermoeidheidsgezichtsgel van Clarins, een scrubbing-dermopeeling met kleine korreltjes die je huid schuren als chemisch zand, om nog maar te zwijgen over Kiehls 'facial fuel energizing moisture treatment for men'-concentraat. De botox en DHEA-melatoninecocktails bewaar ik voor volgend jaar. Ik luister naar Diam's om in contact te blijven met de neeneegeneratie waar zij over rapt. Ik heb mijn bijziendheid met een laserstraal laten herstellen: ze hebben mijn netvlies geslacht als in Buñuels *Chien andalou*, zodat ik geen bril op hoef (eerst leek ik op Yves Saint Laurent, nu denk ik dat ik Jezus ben). Ik ben van plan om een porseleinen gebit aan te schaffen om net zo'n glimlach als Keith Richards te krijgen (helemaal schoon in plaats van helemaal beige). Het enige wat me weerhoudt is de raming van mijn tandarts/schoonheidsdeskundige: twintigduizend euro voor vijf plaatsingssessies, dat is nogal wat voor een ivoorwinkel. Ik sta ook op het punt om me in te schrijven bij een fitnessclub om op een power-plate te gaan staan trillen. Voordat ik een meisje mee naar huis neem, slik ik altijd stiekem een Viagra 100 om er zeker van te zijn dat ik drie of vier keer kan presteren, alsof ik twintig jaar jonger ben. Ik mag graag zeggen dat mijn idiotie de idiotie van deze tijd is, maar diep van binnen weet ik dat de tijd een uitvlucht is en dat mijn idiotie van mij alleen is. Wanneer je de veertig bent gepasseerd, is je leed je eigen verantwoordelijkheid, ook al zie je er zelf veel jonger uit dan hij. O ja, ik vergeet nog dat ik bij mijn vrouw ben weggegaan omdat ze even oud was als ik.

Ik ben dus een onvrijwillige bejaarde. Lach niet: ik weet dat er ook mannen zijn die het fijn vinden om ouder te worden. Die hebben het alleen niet voor het zeggen.

10

Om u beter te laten begrijpen hoe ik een fashist ben geworden, moet ik over mijn vader vertellen: ik geloof dat ik behoorlijk op hem lijk. Toen ik klein was, na de scheiding van mijn ouders, logeerden mijn grote broer en ik in het weekend wel eens bij hem als hij terug was uit Hongkong, Singapore of Sydney. Hij woonde in een duplexwoning met balkenzoldering in de rue Maître-Albert, waar wij op de verdieping sliepen, beiden op onze eigen kamer. Toen al had ik last van slapeloosheid. 's Nachts hoorde ik onder mijn voeten de kurken knallen en de ijsblokjes tinkelen in kristallen whiskyglazen. Voortdurend ging de voordeurbel. Gelach van de meisjes van beneden schalde over de verdieping. 's Zaterdagsavonds gaf mijn vader recepties waarop hij vrienden uitnodigde, Amerikaanse CEO's en stamgasten van Castel, omringd door mannequins van het modellenbureau Paris-Planning en playboys die het hele jaar door bruin waren, openstaande overhemden over hun harige borstkas droegen en valse visitekaartjes van modefotograaf bij zich hadden. Ze luisterden naar Stevie Wonders oranje elpee: *Songs in the Key of Life*, nog altijd een van mijn lievelingsplaten aller tijden. Die dubbelelpee was toen net uit, wat ons in 1976 plaatst (datering met Stevie Wonder is nog betrouwbaarder dan C14-datering). Daaruit volgt dat ik elf jaar oud was en een gloednieuw stel oren had. Als ik niet kon slapen, ging ik weleens in mijn kamerjas en blauwe pyjama naar beneden, slaapdronken in mijn ogen wrijvend, en wat ik dan zag? Meisjes van twintig met witte tanden en korte rokjes die dolblij werden als ze me zagen: 'That is your SON? He is so CUTE!' Gewoonlijk haastte ik me naar de wc om te ontblozen. Als ik weer uit mijn schuilplaats tevoorschijn kwam, gaf mijn vader me een knipoog terwijl hij een sigaar opstak. 'We hebben zijn oren er net opnieuw aan laten plakken.' Die reusachtige meisjes die Nina, Kim of Elisabetta heetten, bekeken de littekens onder mijn haar en slaakten bange kreetjes, waarna ze me complimenteerden met mijn groene ogen of grapjes over mijn pantoffels maakten. Kunt u het probleem al zien? Ik heb de vrouwen min of meer ontdekt door op schoot te kruipen bij Zweedse, Deense en Nederlandse modellen die naar patchoeli roken en met hun vingers knipten terwijl ze zongen: 'When you feel your life's too hard, just gotta have a talk with God'. In het gele licht van de grote lampenkappen waren ze even blond als mijn moeder, en in hun mond borrelde champagne. Ze aaiden me over mijn hoofd, lazen mijn hand, voorspelden een mooie toekomst als filmster of piloot en vroegen me voor de grap ten huwelijk, 'Look, he's blushing again, your son is so ROMANTIC!', stelden indiscrete vragen over het leven van mijn vader in ruil voor cashewnoten en stukjes Milkachocolade en stelden voor om me te kidnappen en het losgeld te delen, tot mijn vader zich erin mengde: 'Nu is het mooi geweest, het is al laat, naar bed, als je moeder dit wist zou ze me vermoorden', waarna de noordse schoonheden me naar mijn kamer brachten en mijn voorhoofd, neus, pols of nek kusten, zorgvuldig de lippen vermijdend die ik met gesloten ogen naar ze toe draaide (want eerlijk gezegd wilde ik niets anders dan dat deze godinnen me seksueel zouden misbruiken); daarna gingen ze op de rand van mijn bed zitten en bliezen de rook van hun sigaret in mijn kussen en glimlachten lief als ik vroeg of ze me nog even vast wilden houden; dan hoorde ik hun naaldhakken op de trap tikken, waarna ik in slaap viel in het heerlijke land van de omhelzing van beroemde mannequins, een land waar ik nog steeds woon en waar ik als het zou kunnen zo spoedig mogelijk zou willen sterven.

II

Ik woon nu een jaar in Moskou: de Stad van Bedrogen Verwachtingen. Schoonheid is hier een nationale sport. Rusland is groot en de inwoners zijn arm: hun enige vermaak bestaat uit het voordragen van gedichten tijdens wandelingen door de berkenwouden, en uit het houden van middagslaapjes aan de oever van brede, onbeweeglijke rivieren. Hun kerken lijken op gouden bolletjes schepijs. Hoewel ze arm zijn, zijn ze geen kleine luiden maar grootse luiden. Het is een land waar de mannen op hun vijftigste sterven; hun weduwes verkopen jonge katjes bij de uitgang van de metro. Af en toe sterft er zo'n oudje omdat ze wordt doorboord door een stalactiet die van een bouwsteiger afvalt. De Moskovische winter is behoorlijk spectaculair.

De Russen zijn noodgedwongen even veelomvattend als de steppen van Centraal-Azië of de toendra's van Siberië: bescheiden maar vol lyriek, platzak maar vol trots. Ze getroosten zich enorm veel moeite om op de personages uit *De meeuw* van Tsjechov te lijken. Ze zeggen diepzinnige dingen in de keuken waar de paddenstoelen drogen en de kvas staat te gisten. Ze hebben geen rode cent, maar hun houten tafels staan vol aardappels in olie, maanzaadpastei, gezoete vis, geurige augurken, wodka in karaffen waarin vogels zijn gegraveerd, vruchtenjam en kokende thee in koperen samowars. Als je ze nog maar een paar minuten kent, beginnen ze al over de ijdelheid van liefde, de dood van het geluk, de waanzin van de wereld. Ze blijven er lang over doorpraten en schenken onderwijl de glazen bij en proppen je vol met pirojnoje. Ze zijn trots op hun fatalisme: ja, Rusland is verdoemd, altijd al geweest, maar wat doe je eraan, en heb je nog dorst? De 'morele pendel' waar Dostojevski zo dol op was is de minst pijnlijke manier om het bestaan te beschouwen: het beschermt je tegen blijde verrassingen.

Uiteindelijk zal ik de berkenbossen alleen maar hebben gezien door het raam van de taxi tussen het vliegveld Sjeremetjevo en de stad. Of vanaf de weg naar Roeblovka, het Wassenaar van Rusland: de berken worden er 's nachts verlicht door vuurwerk. De rijen witte stammen lijken op doorzichtige rietjes die de sneeuw naar de hemel zuigen. En de naïevelingen, de verwaaide poëten, de bedrogen geliefden, de bittere filosofen die Anton Pavlovitsj zo dierbaar zijn, tieren hier niet weliger dan in Parijs. De keukens zijn moderner dan in de literatuur, dat wil zeggen kleiner, en er wordt McNuggetskip met barbecuesaus gegeten, net als overal. Toegegeven, de gesprekken hebben meer inhoud, maar de manier van leven is hetzelfde als elders: een zo aangenaam mogelijke zelfmoord. Misschien zijn de Moskovieten met wie ik omga niet representatief voor dit grote land. De meeste mannen die ik heb gezien scheren hun hoofd kaal, dragen T-shirts van Dior, bezitten een nachtclub en scheuren als gekken rond in Duitse auto's; het zijn nouveaux riches die tussen Stalins zeven gotische wolkenkrabbers door slalommen, stenen monsters die 's nachts worden verlicht, als de piramides in Egypte. 'Ik ben een kozak! Een godverdomde ruiter!' Meer dan eens heb ik de torens kleiner zien worden in de achteruitkijkspiegel terwijl de radio knetterhard in het Russisch zong en ik in het Frans gilde van angst tegen BMW's die het op voetgangers gemunt hadden: 'Kijk uit! Daar! Een zwangere vrouw! Het licht staat op rood, er komt een baby in een wandelwagen van die trap af, remmen!' en ik heb vooral meisjes gezien, mijn god, Russische meisjes … het is de nationale industrie.

De schoonheid van Rusland is niet alleen in de literatuur of de wouden te vinden, maar in de allereerste plaats bij de vrouwen. Als natuurlijke schat van dit land wordt vaak de olie genoemd; maar dan negeer je de voornaamste rijkdom. Amerikaanse vrouwen zijn te gezond, Franse te grillig, Duitse te sportief, Japanse te onderdanig, Italiaanse te jaloers, Engelse te dronken, Hollandse te geëmancipeerd, Spaanse te moe. Wie overblijven, zijn de Russische vrouwen. Ze hebben een manier om hun ogen neer te slaan als betrapte kinderen; het lijkt alsof ze hun tranen inhouden, alsof hun turkooizen ogen stikken in het gesnik veroorzaakt door de poolkou; een eeuwig leed, een ouderlijke verkrachting in de familiedatsja, een leeg bord in het hart van de winter, een Kerstmis zonder cadeaus waarbij je niet het recht hebt om te klagen omdat je vader anders naar een strafkamp in Krasnojarsk wordt afgevoerd, een leugenaar die is vertrokken zonder 'da svidanja' te zeggen, hun tsarinawangen die erom smeken gestreeld te worden, net borsten, en ze rillen nooit, zelfs niet bij twintig graden onder nul, ze likken hun tanden af en kijken niet weg, je kunt nog net een berekende dauwdruppel onderscheiden die op hun lippen parelt als een gebed of een uitdaging. Het zijn bloemen die zich bezighouden met mannelijke zwakte, hem vergeven en manipuleren, die met hun vingers door hun haar woelen, en zelfs hun zweet ruikt lekker, en iedere man wordt een ledenpop in hun bleke handen die als zwanenvleugels door de lucht fladderen. Nu deze planeet nog maar één land is weet u wat ik bedoel. De hele wereld kent de macht van de Russische meisjes; daarom krijgen ze ook geen visum voor het buitenland. De vrouwen van alle landen haten hen, omdat schoonheid een onrecht is en alle onrecht bestreden dient te worden. Russische meisjes zijn de vijand. Het is niet voor het eerst dat engelen zo veel vijanden hebben, sla de Bijbel er nog maar eens op na. Een catalogus van verbrande engelen.

12

Ik had dus een bijzondere opdracht aanvaard: ik moest het nieuwe gezicht vinden van L'Idéal, de wereldleider van de cosmetische industrie. Zoals ik u al heb uitgelegd, is onschuld het enige wat in deze afgestompte wereld nog verkoopt. De consumentenafdeling van L'Idéal wilde haar 'ambassadrice vernieuwen' (vertaling: 'het oude vel ontslaan'). Hun marketingplan is opgedeeld in leeftijdscategorieën: vijftien tot vijfendertig (acne en andere huidproblemen); dertigers (denken dat ze nog twintigers zijn); veertigers (dromen dat ze nog dertigers zijn); vijftigers (hopen dat het niet al te duidelijk zichtbaar is dat ze een facelift hebben gehad). Ik, mazzelaar, hield me bezig met de categorie 15-35, dat wil zeggen: meer met 15 dan met 35. Ik was door modellenbureau Aristo als scout aangesteld. Een kameraad van mijn vader stond aan het hoofd van de Franse tak van het bedrijf; toen ik uit de bajes kwam, had ik een televisieprogramma het graf in geholpen en kon ik het in Frankrijk wel schudden. Mijn emigratie naar deze betrekking was een mooi geschenk. Ik denk niet dat er een betere manier is om prachtige vrouwen te ontmoeten en ze in bed te krijgen. Ik moet erkennen dat ik in Frankrijk nooit, zelfs niet in mijn glorietijd van praal en profijt, dergelijke wonderen had meegemaakt. Het zijn geen seksbommen, geen vliegtuigbommen, geen atoombommen; het zijn kernraketten, massavernietigingswapens, interplanetaire raketten. De lanceerbasis van de Sojoezraketten ligt niet in Bajkonoer maar in Moskou. De meesten van de Fransen die zich in uw stad vestigen, kunnen nooit meer naar huis; ze weten drommels goed dat ze in Frankrijk nooit zulke mooie meisjes zouden kunnen krijgen als hier. Daar praten ze eenvoudig niet met je, je komt ze niet eens tegen: in Frankrijk wonen de mooiste vrouwen in een parallel getto en worden ze door onzichtbare barrières beschermd tegen de avances van boerenpummels. Hier gaan ze zelfs met je mee naar huis, per tweetal of per tros. Ik ken een Fransman die niet meer in staat is om de liefde te bedrijven met maar één meisje. 'Maar één vrouw in mijn bed? Hoe doe je dat ook alweer?' De allermooiste vrouwen van hier willen maar één ding: dat een rijke man verliefd op ze wordt, of bij gebrek daaraan dat een vreemdeling ze mee op reis neemt. Zelfs een blauwtje bij hen lopen is een feest! Ze slagen er altijd in je te laten denken dat ze het enorm jammer vinden dat ze niet met je naar bed kunnen, zoals de portier van een casino toch zijn best doet om je niet te veel te ontstemmen als hij uitlegt dat het van-avond vol zit, zodat je het morgen weer probeert, je weet maar nooit, het leven is lang. En dan zijn het ook nog eens duivels in bed, pardon, engelen! Seks is meer dan techniek alleen, iezvinie-tje dat ik het zo cru zeg, vader, maar er is een reeks handelingen die de Russische vrouwen met een wonderbaarlijke natuurlijk-heid ten uitvoer brengen, en ook nog meteen de eerste nacht al: laat ik, zonder grof te worden, zeggen dat ze blijk geven van een grote mate van geduld en een zeer … vindingrijke behendig-heid. Zit u toch niet zo te mopperen, de natuur is een schepping van God, er is niets verkeerds aan als je van haar zegeningen gebruikmaakt. De Moskouse vrouwen zuigen en trekken afwis-selend aan je pik, steeds sneller, tot aan de orale explosie, waarbij ze hun wijsvinger in je aars steken op het moment dat die sa-mentrekt van genot; ze slikken alles door, en kort daarna likken ze weer langs je voorhuidriem zodat je weer hard wordt, zonder kapotje, waarna ze zich op je sextoys spietsen en op hun tepels zuigen en daarna aan je ballen likken tot je om genade smeekt, oké, einde van mijn lijst, excuseer, ik dacht dat ik uw middag een beetje zou kunnen breken, nee hoor, ik maak een grapje, u hoeft niet de katholiek tegen me uit te hangen. Ik weet niet waar uw vrouwen die elementaire kennis vandaan halen die het overgrote deel van de westerse vrouwen pas na zes maanden van intieme dinertjes uit de kast haalt. Niemand kan zo goed bal-len kneden als Russinnen, niemand laat zich zo volledig gaan, behalve misschien een Marokkaanse op wie ik ooit verliefd was maar van wie ik nu de naam vergeten ben. Driekwart eeuw lang was seks het enige Russische verzetje (naast wodka drinken en de buren verklikken): het resultaat is een kennis van zaken die uniek is in de wereld. Ik ken een Fransman die hier woont omdat hij van Françaises geen stijve meer kan krijgen. Oké, u hebt me op heterdaad betrapt: die Fransman, dat ben ik. Maar de tijd dringt, de rij wachtenden achter ons wordt langer. Uw manier van biechten is nogal irritant, al die gelovigen die achter ons wortel schieten. Zelfs tandartsen zorgen voor een wachtkamer! Ik had liever een dominicaner biechtvader gehad, maar die had ik zo gauw niet bij de hand.

De verleidingen waren ontelbaar, maar er was geen tijd te verliezen: L'Idéal had nieuwe boegbeelden nodig, de voorraad geprononceerde jukbeenderen en rode monden moest worden aangevuld. De standaardisatie van het verlangen wacht niet. De vraag was enorm: ze waren nodig voor catalogi, persmappen, reclamebijlages, achterwanden van kiosken en teasers met uitneembare proefmonsters. Natalia Vodianova kon niet alles doen: er waren nieuwe modellen nodig, goedkopere, minder beroemde, beschikbaardere. Ik moest gezichten vinden! Ik moest productie draaien ten gunste van de industrie van potten gluco-actieve, voedende, vochtinbrengende crème. Mijn baas Bertrand riep door de telefoon vaak 'Mensenvlees!' net als de reus uit Kleinduimpje. Dat was alles: ik voorzag de Lolitavreters van voedsel, waarmee zij het mondiale libido in stand hielden.

U moet me goed begrijpen. Teerbleke wijfjes zijn onmisbaar voor het goed functioneren van de kapitalistische economie, en ze moeten dikwijls vervangen worden: een hoge turnover van romantische verschijningen verhoogt de nettowinst. Jammer genoeg behouden mannequins hun puurheid niet lang. Vroeger of later eindigen al onze topmodellen ermee dat ze een vechtlustige voetballer of drankzuchtige acteur gaan neuken, en anders verrast de camera van een mobieltje ze wel als ze in de backroom een lijntje snuiven en daarna in de goot vallen. Behalve Kate Moss overleeft niemand zulke beelden. Zo'n video doet de ronde op internet, huisvrouwen stappen over op een andere zuivelhandel of de zuivelhandel zegt het exclusieve contract op, en dan moet ik het volgende wereldwijde smoeltje weer ergens vandaan toveren. Ze gaan steeds minder lang mee; een fenomeen dat 'Kleenexmannequin' wordt genoemd. Ik kreeg een percentage van de gage van mijn meisjes, maar in de praktijk werden ze vervangen als ze nog maar net gelanceerd waren: daarom had ik gevraagd om betaald te worden op uurbasis in plaats van tegen een percentage (zelfs tien procent was niet meer rendabel, en bovendien: hoe kun je de boeken controleren?). In ons jargon zou ik zeggen dat het me moeilijker afging om de meisjes te 'ontwikkelen' dan ze 'op te starten'. Vroeger ging een succesvol meisje een decennium mee; nu was schoonheid drie jaar houdbaar.

Ik zocht naar greens (zoals we de debutantes noemden, maar er wordt ook wel van new faces gesproken) in Moskou en Sint-Petersburg, bij de poorten van lycea in Smolensk en Rostov, in de theaterscholen van Novosibirsk, Tsjeljabinsk en Koersk, de slagerijen van Moermansk en Jekaterinenburg en de universiteiten van Oefa, Samara, Nizjni Novgorod; overal in de Russische federatie, want de allermaagdelijkste gezichten begingen de onbezonnenheid om in dat o zo veranderlijke land geboren te worden. Uiteraard waren de meest hemelse gezichten altijd ergens anders.

'Dus jij houdt van katachtige Oezbeeksen met hun zwarte irissen? Dat komt alleen maar omdat je de Kirgiezen niet kent, met hun ogen van gebarsten oker.'

'De volle lippen van de Kazachsen? Neem je me in de maling? Wacht maar tot je de fijngevormde mond van een Tataarse uit de Krim voelt.'

'Bewonder je de wellustige Tadzjieksen met hun blauwe huid? Zorg dan maar snel dat je een Turkmeense streelt, met van die kleine borstjes die naar kaneel ruiken.'

44

Ik kreeg betaald om vrouwenreservaten te bezoeken. Het volgende smoeltje was altijd nog leuker, en jammer genoeg is het volgende smoeltje in sommige uithoeken van de voormalige USSR vaak ver weg, zodat je ijskoude treinen of verroeste vliegtuigen moet nemen. Het was een zinloze zoektocht met een nimf als graal. Hoe zou ik een dag tevreden kunnen zijn? Zodra ik een foto van een straatarm, onverdraaglijk perfect boerenmeisje had gemaakt, hoorde ik over een spookdorp of een banketbakkerij waar een prinses was geboren, over een rivier in een afgelegen vallei waar een bepaalde roessalka vaak te vinden was, of over de binnenplaats van een vervallen flatgebouw, helemaal aan het einde van de gloebinka, waar een fee op gympen te midden van de drankzuchtige moezjieken liep te stralen. En als ik weer terugvloog in een oude Toepolev Tu-124 van Siberian Airlines die ergens midden in de lucht tussen Dnjepropetrovsk en Dnjeprodzerzjinsk op het punt stond om in stukken uiteen te vallen,

Was de stewardess die me mijn instapkaart gaf
    Een dubbelgangster van Doornroosje.

13

Ik weet nog dat ik om in Nizjni Novgorod te komen de nacht doorbracht in een flessengroene trein die de besneeuwde aarde verdeelde in twee enorme punten van een kokostaart. De wagons reden tussen twee rijen dode populieren door die in de lente herboren zouden worden: bomen beleven ieder jaar een wederopstanding, net als Christus. Zoals u weet, vader, staan op de oevers van de Wolga een paar van de mooiste kathedralen die de Moskovische barok vertegenwoordigen: (de Aartsengel-kathedraal, de Kathedraal van de Opstanding van de Heer, de Kerk van de Transfiguratie en het Klooster van Maria Boodschap); in de winter lijken die bolvormige gebouwen op de schuimpjes op een ijstaart. Als je de brede rivier oversteekt zie je ze in de verte opdoemen, als prachtige toetjes op het blad van de ober aan de andere kant van de eetzaal in een restaurant; toen ik me als kind in Pau aan tafel verveelde, veranderden de îles flottantes in exotische vakantiebestemmingen. Maar wanneer ik de plaatselijke kroegen afschuimde op zoek naar het summum van sexy met lipgloss, kan ik u verzekeren dat ik mijn jeugd in de Béarn snel vergat. Toen ik op het station van Nizjni aankwam, viel de regen neer op het enorme beeld van Lenin, dat het volk niet overeind had durven trekken want 'Lenin heeft geleefd, Lenin leeft, Lenin zal leven!' Een McDonald's stond te midden van pornobioscopen in de koude motregen, net als bij de uitgang van om het even welk station in Frankrijk, en ik ging meteen kijken waar ze de kaartjes voor de terugreis verkochten. Ik was bereid om een oude Antonov te nemen die met soldeer aan elkaar hing en bij elkaar werd gehouden met stukjes plakband, of een Toepolev met een gebroken neus, van hetzelfde type als die in Tomsk te pletter was gevallen en 103 passagiers knock-out had geslagen; het maakte niet uit. En toen zag ik Tanja en ik bleef. Voor haar was ik bereid om in iedere minuscule verrotte Trabant ten oosten van de Wolga te stappen.

Ik zou u graag een anekdote willen vertellen die bewijst dat je de gave om lief te hebben kunt kwijtraken door hem niet toe te laten. Dat is misschien het ergste wat er in een leven kan gebeuren: niet meer verliefd kunnen worden. In de Zeven Vrijdagen (het meest gehypete restaurant van Nizjni Novgorod) ontmoette ik een kandidaat voor de titel van Meest Sensuele Liaan van het Oostelijk Halfrond. Ik kreeg een erectie van niets anders dan haar hazelnootbruine wenkbrauwen, en na een paar consumpties met frambozensmaak zou iedere man tot in het diepst van zijn hart willen sterven. Ze heette Tanja en het was een prachtig gezicht als ze zich bukte; ik verschool me achter mijn glas om langer naar haar te kunnen kijken. Ik zei haar dat ze rechtop moest staan, want zoals alle meisjes die te snel groot worden had ze een scoliose opgelopen omdat ze altijd kromliep, uit luiheid of misschien alleen om kleiner te lijken. Haar lange, bruine, loshangende haar stroomde in golfjes over haar schouders, waar haar vlechten een hemeltergende sinuslijn tekenden. Na een paar vloeibare ad funda stemde ze toe in een kus, buiten het blikveld van haar vriendinnen, en daarna ging ze ondanks het late uur mee naar mijn hotel. Ze weigerde haar beha met cupvulling uit te doen, uit angst dat ik haar borsten te klein zou vinden. Ik stelde haar gerust:

'Goed dan, hou je push-up maar aan, ik heb toch een hekel aan de realiteit!'

'Pasjol na choej!' ('Rot op!')

Ze was een kortgerokte Wit-Russische die niet terug naar Minsk wilde – haar land was de laatste communistische dictatuur in deze contreien (samen met Noord-Korea en Turkmenistan), de meisjes kunnen zich er voor veel minder verkopen en de tegenstanders van het regime verdwijnen 's winters in de mondiale onverschilligheid. We brachten de nacht door met praten, terwijl we elkaar zacht over de rug krabden en onze gal spuwden over 'Nizjni fucking Novgorod'. Veertien jaar geleden heette deze stad Gorki, omdat de dichter Maxim er was geboren; de wetenschapper Andrej Sacharov had er indertijd gevangengezeten; ik had bijna zin om het ook zover te laten komen, zodat ik Tanja nooit meer zou hoeven verlaten, maar ik hield me in. Ze zei dat mijn huid even zacht was als de hare, vroeg of ze nog eens op mijn vingers mocht zuigen, dat soort lieve dingetjes ... Ik vroeg haar waarom ze geen model was en ze antwoordde dat ze te oud was (eenentwintig) en dat haar moeder haar te veel te eten gaf. Ik bleef maar denken aan de scout die Natalia Vodianova had ontdekt, een bloemenverkoopstertje van veertien, dik ingepakt in een kunststof bontjas, op de markt van haar geboortestad Nizjni Novgorod; wie zou dat nu nog weten? Fortuin gemaakt, vogel gevlogen ... (scoutingspreekwoord). Ik moest lachen toen Tanja me iets leerde dat Calvin Klein waarschijnlijk niet wist: Natalia Vodianova verkocht geen bloemen, maar aardappelen, en wel bij het metrostation Geluk, en de headhunter in kwestie had haar niet op de markt ontmoet maar op het plein voor een theater waar ze streberig foto's en telefoonnummers uitdeelde. Natuurlijk werd ze hier in Nizjni door alle meisjes gehaat, en dat is menselijk: Natalia Vodianova, geboren uit een alcoholische vader en een mishandelde moeder, was getrouwd met de op eenentwintig na rijkste man van Groot-Brittannië. Mensen houden niet van andermans sprookjes.

De zonsondergang boven de Wolga was het teken om honger te krijgen. Hé, zei ik, de hemel is roze, dat wil zeggen dat er of in de buurt een kerncentrale is geïmplodeerd, of dat het etenstijd is. Mijn plaaggeestje rook naar zeep; haar lippen waren zoet want ze kauwde onophoudelijk Hubba Bubba's met watermeloensmaak. Ze had verbazend fijne handen, met lange vingers waar geen einde aan kwam, net als haar benen (al had ze er daar minder van). Ze sloeg glazen wodka in één teug achterover zonder met haar ogen te knipperen. Ze had slechts een slok sinaasappelsap nodig om het branderige gevoel te laten verdwijnen. 'I am cellulite free!' Ik zei dat haar benen als twee pijlen in mijn hart staken. Ze geloofde me niet en daar had ze gelijk in. Jammer; als ze het had geloofd, had ik het zelf misschien ook kunnen geloven. Maar ik hield stug vol.

'Ik dank de trein met de harde couchettes die me naar jou heeft gebracht.'

'Blablablabla', spotte ze.

'Ik ben naar Ni No gekomen om jou te vinden, gewikkeld in lakens van glaspapier die minder schrammen op mijn rug maakten dan jouw nagels ...'

'Blablabla.'

'Ik ben gekomen om je weg te kapen van de oevers van de Wolga ...'

'Blabla.'

'Oké, drink je glas leeg en rol een tongzoen voor me.'

'Bla.'

'Niet om het een of ander, maar ik ben momenteel vrijgezel. Zo'n kans krijg je niet vaak in het leven, baby.'

'Bl.'

Ze was maar half zo oud als ik, en daarom eerlijker. Ik hing mooie praatjes op zodat er iets zou gebeuren: ik probeerde vol te houden dat ik mijn werk deed, terwijl ik in haar ogen niets anders was dan een willekeurige sekstoerist. Ik hoopte dat ze me zou gaan haten om mijn vulgariteit zodat ik geen enkele pijn zou hoeven voelen. Toen Tanja in de vroege ochtend vertrok, of beter gezegd: toen ik haar weg liet gaan zonder haar telefoonnummer te vragen (want zo zegt men tegenwoordig vaarwel: door een paar cijfertjes niet te noteren), bekeek ik haar nog een laatste keer in het halfdonker, als om de laatste sporen van haar lucifervormige silhouet in me op te nemen, van haar gestalte die scherp afstak tegen de door de zonsopkomst verlichte gordijnen, en ik herinner me dat ik hoopte dat ze snel weg zou gaan, dat ze snel uit mijn leven zou verdwijnen zodat ik haar eindelijk, in alle rust, kon missen. Ik haatte Tanja's hardheid, en ik nam het haar kwalijk dat ze net zo was als ik: een arm roofdier met te veel fantasie en een uitgedroogd hart. Toen ze koeltjes 'au revoir' zei, voelde ik een vlaag van nostalgie en dankbaarheid in me opkomen. Ik rende de kamer uit om de liftdeur te zien sluiten voor haar vermoeidheid en verdriet, haar zwartomrande ogen en haar Chance van Chanel. Ik vroeg:

'Waarom dragen jullie allemaal Chance?'

Ze glimlachte.

'I gave you one chance, you've just missed it.'

Toen zei ik 'I hate you', in een betreurenswaardige lyrische uitbarsting. Ik had haar dankbaar moeten zijn: Tanja heeft me doen inzien dat niet-lijden ook lijden is. Toen schreef ik het volgende op:

'Ik haat de deuren van de lift

    Die jou naar lagere sferen vervoert.'

14

Och, weet u, ik heb heel veel van zulke verhalen te vertellen. Anja, Joenna, Marija, Irina, Jevgenja, Marta, Galina, allemaal koninginnen die ik heb ontdekt, ontleed, ontlopen, gebonden, gelabeld, geshortlist, genegeerd, vergeten, vergeleken, veronachtzaamd, verleid, verworpen, verloren ... Het was mijn werk: ik moest de schoonheid enteren en dan tot zinken brengen. Daarvoor moest ik het meisje in kwestie eerst overtuigen van mijn oprechtheid, dan roebels laten wapperen voor de ogen van haar ouders; en daarna nam het modellenbureau het op zich om haar jeugd te verbinden met een bepaald merk antirimpelcrème. L'Idéal was een van de meest rendabele ondernemingen in Frankrijk (twee miljard euro winst op een omzet van zestien miljard), opgericht door een geniale scheikundige, wiens erfgenamen zijn patenten tijdens de Duitse bezetting te gelde maakten. Het bedrijf was de wereldleider van de cosmetische industrie geworden door een slogan in een honderdtal talen tot vervelens toe te herhalen: 'Omdat u uniek bent.' Wist u dat het woord 'cosmetica' van het Griekse woord 'kosmos' komt, dat zowel orde als heelal betekent? Etymologisch gesproken is make-up de orde die het heelal bepaalt ... Cosmetica is kosmisch. God is slechts make-up, batjoesjka van me! Maar de crisis kwam steeds dichterbij: Greenpeace had net onthuld dat de producten van L'Idéal gesynthetiseerde chemische toevoegingen bevatten, vaak op basis van oliederivaten, als actief bestanddeel, geurstof of conserveermiddel, die de betreurenswaardige eigenschap hadden dat ze borst- en eierstokkanker veroorzaakten. Een vertrouwelijke studie van de AFSSAPS – het Franse keuringsinstituut voor gezondheidsproducten – toonde aan dat er in 2005 122 ernstige ziektegevallen waren opgetreden als gevolg van het gebruik van zonnebrand- of anti-agingcrème. Allergieën, soms spectaculair – contactoedeem, enorme eczemen, oogleden die tot drie maal hun grootte opzwollen, verlies van gevoeligheid in de huid – hadden tot spoedopnames geleid. Het kwam er in grote lijnen op neer dat de producten van L'Idéal hun gebruiksters even effectief vergiftigden als de FSB haar naar Londen gevluchte agenten. Het gevaar kwam van het dagelijks op de huid aanbrengen van giftige stoffen (phtalaten, synthetische muskus, chloorverbindingen, formaldehyde en galaxolide). In tegenstelling tot farmaceutische laboratoria zijn fabrikanten van cosmetica niet verplicht om hun product op dieren of mensen te testen voordat ze het op de markt brengen. De Franse wet gaat ervan uit dat zalfjes minder giftig zijn dan medicijnen. Een mazzeltje voor de fabrikanten, die ons daardoor bijna alles op de smoel kunnen laten smeren.

Er stonden dus cruciale financiële belangen op het spel: de nieuwe ambassadrice zou het vergif dat zich in de crèmes verborg moeten doen vergeten. De L'Idéal-groep had net The Nature Stores gekocht, om zijn groene imago op te poetsen. Kosten van de operatie: 940 miljoen euro. L'Idéal was bezig een nieuwe antiverouderingsmolecuul te lanceren, gefabriceerd door Oilneft, het consortium dat onder leiding stond van mijn makker Sergei, de oligarch. Het gezicht dat ik zocht zou ook dienstdoen als vervuilingsfilter. Daarom had ik een enorm budget voor onkosten: alleen al in Frankrijk gaf L'Idéal per jaar vijfentwintig miljoen euro uit aan reclame. Dat kwam goed uit: in mijn tijd als copywriter in de Parijse reclamewereld en later (kortstondig) als televisiepresentator, had ik de gewoonte ontwikkeld om heel veel uit te geven. Tussen twee hevige en onbeantwoorde verliefdheden door zoop ik me vrolijk klem in de Oh la la, de Shandra, de Bordo en de Egoïste Gold. Vergeef me, Eerbiedwaardige, dat ik die nachtclubs met u moet bespreken. Maar als je eenmaal besluit te gaan biechten, moet je ook al je zonden vertellen, nietwaar? Inclusief de details. Ik heb dus geen keus, ik moet wel toegeven dat ik me voor niets interesseerde dan voor het bevredigen van mijn verwendekinderverlangens. De angstremmers beschermden me zo goed tegen romantiek dat ik niet meer in staat was om dat soort dingen te voelen. Als ik u choqueer moet u het zeggen, pope, ik wil mijn geval niet erger maken dan het is. De hel, dat is hier, en ik ben gekomen om u te vragen om me voor te dragen voor een membershipcard voor het paradijs.

15

'Ongelooflijk, Tanja: je eet aan één stuk door en je komt geen grammetje aan!'

'Tja, Octave, af en toe een grammetje …'

Eerlijk gezegd snoof ze te veel. Ja, uiteindelijk zou ik Tanja uit Nizjni terugzien; ze was er bovenmatig door gevleid, want ze wist niet dat ik haar juist had teruggebeld om haar te vergeten. Ja, klopt, ik zat net op te scheppen dat ik haar telefoonnummer niet had genoteerd, en dat was maar half gelogen. Ik had het losgepeuterd bij haar beste vriendin, Katja, die uitging met Jean-Michel, een Franse doorreisvriend uit Nizjni. In de brasserie werden we lastiggevallen door een zigeunervrouw die rozen verkocht. Ik kocht het hele boeket voor haar.

'Nee, Octave, dank je, geen bloemen, die zijn veel te triest: die eindigen toch maar verwelkt op een bankje in een nachtclub.'

'Jij ook.'

Een vrouw die je op een drankovergoten avond aantrekkelijk vond overdag terugzien is de beste manier om haar afstotend te laten worden. Maar ze had een antwoord klaar.

'De laatste keer was je zo stomdronken, je leek wel een Chinees!'

'Dat komt omdat ik, in tegenstelling tot jij, met de cocaïne ben gestopt.'

We aten beverrat, een vlezig knaagdier dat naar mol smaakt. Ik weet niet wat ons ertoe had bewogen om zoiets walgelijks te bestellen; misschien was het de enige manier om er zeker van te zijn dat de inhoud van onze borden nog walgelijker was dan wij zelf. Mijn rekruten waren altijd blij als ik weer contact met ze opnam, ofwel voor hun eigendunk, of uit hoop voor hun carrière, terwijl het alleen maar een teken was dat ik ze uit mijn libido probeerde te wissen. Het derde telefoontje kwam nooit. Na de tweede ontmoeting begonnen ze te lijden: de tweede ontmoeting is de echte casting. Een controle bij daglicht. De bevestiging van een afscheid. Ik verwijderde haar nummer uit mijn mobieltje om niet in de verleiding te komen om haar op een onbehoorlijk tijdstip terug te bellen. Ze moet het hebben begrepen, want aan het einde van onze lunch maakte ze me niet meer belachelijk. We waren allebei ontroerd door het idee dat we elkaar nooit meer terug zouden zien. Tja, op je eenentwintigste kun je je naaste nog gemakkelijk vergeten ... Ik verdeed mijn tijd terwijl zij nog een heel leven voor zich had.

'Weet je dat ik over je gedroomd heb, heerlijke smeerlap?'

'You in my heart. You in my dreams too.'

Ze vroeg me om haar pols op te nemen zodat ik kon voelen hoe snel haar hart klopte. Ik zei *paka* (tot later) en beet op de binnenkant van mijn wang om niet in snikken uit te barsten.

Tanja was een teken, maar dat begreep ik later pas, toen ik het Oude Testament las. Myriaden, legers, scharen engelen (tienduizend miljoen, volgens het boek Daniël) hadden me nog niet kunnen redden. Toen wist ik nog niet dat Satan mijn vleugels al had afgehakt.

16

In het begin was ik zo bleek als de sneeuw. Nooit heb ik zo veel doden gezien als in uw stad. Ze vallen bij bosjes bij het oversteken van de Tverskaja: omdat er geen stoplichten zijn, geven de auto's gas om je overhoop te rijden. De smerissen zijn me een keer te lijf gegaan voor mijn creditcards, geld en papieren. Ik moest vijfhonderd dollar neerleggen om weer van de Gagarin-boulevard te kunnen vertrekken. Doden op straat, in bars, bij knokpartijen. Iedere tocht door Moskou is een stormbaan: of je zit drie uur vast in een opstopping, of je sterft in een Lada met een dronken Tsjetsjeen aan het stuur. Ik mocht in Moskou graag skiën over de witte heuvel die je beneden bij het Bolsjoj brengt. Je kon voor het oude kantoor van de KGB langs slalommen (dat deed men in de tijd van Brezjnev ook al: op het Loebjankaplein veranderden ze van trottoir waarbij ze hun tsjapka diep over hun oren trokken om de weeklachten van de verradenen en het geschreeuw van de gemartelden niet te horen). O? Kon je die niet horen omdat de kerkers heel diep onder de grond liggen? Dan heb ik weer wat geleerd, vader. Dat hadden ze goed gebouwd. Trouwens, ik weet niet waarom ik er in de verleden tijd over praat: de KGB is immers niet verhuisd, er zijn alleen twee medeklinkers van de naam veranderd. Jullie hebben het beeld van Dzjerzjinski voor het FSB-gebouw van zijn voetstuk gehaald en daarna een van zijn meest voorbeeldige medewerkers tot president gekozen. Die continuïteit is de oorzaak van alle problemen in uw land: jullie hebben de navelstreng met je beulen niet doorgeknipt. Rusland is het land van de onbestrafte misdaden en het vrijwillige geheugenverlies. Hoe, wat zegt u? Zonden vergeven? Maar vader, u moet toch weten dat je om vergeven te worden eerst om vergeving moet vrágen? Hier vraagt niemand om vergeving, en de helft van de machthebbers is op zijn plaats blijven zitten. Als u er werkelijk een punt van had willen maken, zou de gemeente de steen uit de Solovkigoelag wel een plaats op het midden van plein hebben gegeven, in plaats van hem ergens op een zijplein te verstoppen. U had hetzelfde moeten doen als de Zuid-Afrikanen: de verantwoordelijken die voor hun misdaden uitkomen, vergeven. Een publieke biecht vergt koelbloedigheid, maar het is de enige oplossing als er collectieve misdaden zijn gepleegd – de enige andere oplossing is een burgeroorlog. En jullie deden liever of er niets gebeurd was. Terwijl wat er gebeurd is toch zo gemakkelijk valt samen te vatten: wat er gebeurd is, vader, zijn VIJF SHOAHS. Ik weet wat u denkt: uw gesprekspartner heeft te veel wodka op. Dat klopt. Maar ik weet precies wat ik zeg: in Frankrijk hebben we net zo'n soort geheugenverlies gekweekt na afloop van Vichy-Frankrijk, Madagaskar, Indochina en Algerije. Ze zeggen altijd dat je beter door kunt gaan, dat iederéén vuil wordt als de archieven opengaan, net als nu in Roemenië, Bulgarije en Polen met de 'zuiveringspolitiek'. In Cambodja gingen er dertig jaar voorbij voordat een rechtbank de genocide van de Rode Khmer in behandeling nam, en toen waren de voornaamste schuldigen al lang dood. En de Turken weigeren de moord op de Armeniërs te erkennen. Wat denkt u, zou Rusland vóór 2030 klaar zijn voor dit soort gedoe? In moeilijke tijden hebben alleen de doden schone handen. Skiën door de stad is veel leuker dan skiën door de bergen. Glijden is leuker dan lopen. Je moet de vuiligheid onder het dikke tapijt schuiven. Glijden is een manier van denken, misschien zelfs een manier van leven. Skiën over het onvolmaakte bestaan, tussen obstakels door surfen, vluchten voor de zwaartekracht door tegenover het mausoleum van Lenin naar binnen te gaan in luxewinkels als Mercury en Goem. Tegenwoordig liggen Pravda en Prada nog maar een paar meter uit elkaar.

Ook surfte ik weleens over de ijzel, als ik het Ararat Park Hyatt Hotel verliet met een dubbelgangster van Mischa Barton aan de arm. Als ik door de Theaterstraat gleed, zag ik aan mijn rechterhand de menigte geweigerden bij de ingang van club Osen, en daar recht tegenover het beeld van Ivan Fjodorov, de Russische Gutenberg, met zijn oren vol r&b, ingeklemd tussen de Bentleywinkel, de Ferraridealer en de Bulgari-juwelier. De man die in de zestiende eeuw de basis legde voor de Russische literatuur zit tegenwoordig opgesloten tussen een hoerentent en twee luxegarages, gedoemd om de godganse dag naar Jenny From The Block te moeten luisteren ... wat een ellendig lot! Honderd meter verderop ziet het beeld van Karl Marx er ook al zo depressief uit; het moet toezien hoe het Bolsjoj uit elkaar valt achter een enorm reclamedoek voor Rolexhorloges. Veertien jaar geleden waren er geen reclameborden in uw stad; nu zijn het er meer dan in Parijs. Onder Marx' voeten valt nog altijd zijn devies te lezen: 'Proletariërs aller landen, verenigt u!' (wat overigens een prachtige slogan voor de Zwitserse horlogemaker zou zijn). Heeft diezelfde Marx niet geschreven dat 'niets kan ontkomen aan het corrosieve effect van het kapitalisme'? Ja, die dus ... als ik bedenk dat een stuk of veertig mensen een kwart van Rusland bezitten. Doffe ellende. Wist u dat er in Oswiecim in Polen een discotheek is gevestigd in een oude loods van het vernietigingskamp Auschwitz? Die draagt de aardige naam 'System'. Het ene totalitaire systeem heeft het andere verjaagd: de democratie hier is maar schijn, hier hebben we het postdemocratische System betreden. Als je het System wilt beschrijven dat de planeet tegenwoordig domineert, zou het kernbegrip geen 'kapitalisme' meer moeten zijn, maar 'geërotiseerde plutocratie'. Eeuwen van Europees humanisme zijn tot moes gekookt door de collectivistische utopie gevolgd door een commerciële utopie. Als verlangen inderdaad een alternerende beweging is tussen eetlust en walging en tussen walging en eetlust, zoals Bossuet zegt (een priester, net als u), dan alterneert de geërotiseerde samenleving voortdurend tussen de ideologie van de eetlust en die van de walging. De ideologie van de eetlust (die vroeger bekendstond als verlangen, vraatzucht, jaloezie, inhaligheid of hyperconsumptie) lijdt onontkoombaar tot de ideologie van de walging (die vroeger bekendstond als nihilisme, fascisme, haat, terrorisme of genocide). Verveel ik u? Misschien hebt u gelijk: wie zijn wij om over politiek te praten, waarom zou je in de stront roeren, er kan toch geen sprake van zijn dat die tientallen miljoenen mensen voor niets zijn gestorven? Toch vraag ik me af of het nationalisme van Rusland, van uw kerk en van uw leiders, niet bedoeld is om de oorverdovende stilte van de decommunisatie te doen vergeten. Bij afwezigheid van rechtvaardigheid regeert de angst. Daarom vroeg Vladimir Boekovksi om een Neurenbergproces van het communisme. Zolang dit land weigert zijn geschiedenis onder ogen te komen, kan haar leed blijven bestaan, want zullen alle bewoners doodsbang blijven. Je kunt je verleden niet kiezen. Rusland anno 1991 is als Duitsland anno 1945, Spanje na Franco, Italië na Mussolini, Frankrijk na Pétain en ik na Frankrijk. Geheugenverlies kan er nooit toe dienen om je weer op het goede spoor te zetten. Maar ik raaskal, iezvinietje, de wierook zal me naar het hoofd zijn gestegen … Misschien denk ik wel dat ik Rusland ben! Want per slot heb ik ook een hekel aan mijn herinneringen. Ben ik ook bang voor mijn verleden; en sta ik mezelf ook niet toe om te dromen. Dat is zelfs de reden dat ik hiernaartoe gekomen ben. Naar het hart van het System.

17

Ik stond niet op latten; mijn mocassins waren glad genoeg om van mij de koning van de branding te maken op de vuile sneeuw van de Pokrovkastraat, tussen de slingerende trams en de zwarte limo's die dubbel geparkeerd stonden voor de Galleria. Ik wist ook hoe ik mijn eenzaamheid kon verzachten door naakte meisjes op mijn dekbed te verzamelen. O vader, u zult nooit weten hoe heerlijk het is om ze elkaar met uitgestoken tong te laten kussen totdat ze alleen nog met een dun speekseldraadje met elkaar verbonden zijn. Ik weet niet waarom ik zo gek ben op danseressenspeeksel. Ik hou ervan om uit hun mond te drinken; ik vraag ze continu om me te bespugen. Hun speeksel is tenminste echt.

Ik droom van een callgirl die stalactieten aan haar bovenlip heeft hangen: een bevroren stripteasedanseres, als een vampier uit de Karpaten. Ik voel me in staat om weer zo verliefd te worden als een kind, ja, waarom niet, nog één keer ... Als ik rillend in de Arbatstraat sta, hoor ik door de mist heen soms muziek die het verlangen in me oproept om te sterven uit liefde voor een jong meisje dat niet bestaat ... Een eenzame wandelaar in een te ruime jas. Zoals in het mooiste liedje van Michael Jackson, de pedofiele superster: 'Stranger in Moscow'. Weet u, uwe Heiligheid, deze ontmoeting is een uiterst werkzaam antidepressivum. Ik had nooit gedacht dat u me zo veel goed zou doen: biechten in de Christus-Verlosserkathedraal is haast nog hedonistischer dan een bezoek aan de Hungry Duck (die volgens *The New York Times* toch 'de wildste bar van het noordelijk halfrond' is). Ik heb hulp gevraagd bij een psychiatrisch ziekenhuis in de stad, maar de arts van dienst wilde me niet opnemen. Uw gekkenhuizen beweren dat ze vol zijn. Ik had geluk: het schijnt dat hun zalen nog minder gastvrij zijn dan in de tijd dat Solzjenitsin er verbleef. Uw gouden koepel is een beter onderkomen voor mijn schuld. Ik voel me er microscopisch. De herbouw van uw kerk is van recente datum en de Moskovieten zijn er afkerig van, omdat Loezjkov, de burgemeester, het hele budget van de stad in deze steen heeft verzonken. Hier, in deze obscene kapel van de nouveaux riches, vind je rust om absolutie te vragen. Maar ik dwaal af, en achter mij wachten heel veel patiënten op hun beurt om te weeklagen. Tot spoedig, vader; ik heb het gevoel dat uw stilzwijgen me het leven kan redden.

'Ik weet niet wat ik over hem moet vertellen; hij sprak me aan in de Night Flight, ik vond het goed om mee te gaan naar zijn hotelkamer en toen ... Hij was zacht, een beetje vreemd, heel romantisch, veel te teder voor een klant uit zo'n tent ... Aardige klanten zijn altijd een beetje eng, je vraagt je af waarom ze zulke grote liefdesverklaringen afsteken terwijl je ze vijfhonderd dollar per uur afhandig maakt en ze nooit meer zult bellen! (...) Hij zei steeds dat hij op zoek was naar een gezicht, ik dacht dat ik er misschien iets aan zou kunnen verdienen: hij bleef maar zeggen dat mijn nepborsten even hard waren als mijn jukbeenderen. Daarom heb ik mijn visitekaartje met mijn composite bij hem achtergelaten. U moet weten dat de meeste meisjes in de Night Flight ook naakt poseren, en dat ieder van ons een visitekaartje heeft met een foto van haarzelf in lingerie. Die foto die u in zijn kamer hebt gevonden, slingert waarschijnlijk in de kamers van heel wat mannen in Moskou rond.'

Ksenia V.,
escort

'Ik heb weliswaar een paar avonden met Octave doorgebracht, maar ik ken hem niet en ik heb u niets over hem te vertellen. Hij heeft zijn project nooit met mij besproken en ik wil benadrukken dat ik zeer geschokt en ontsteld ben door uw methodes. (...) Ja, ik geef toe dat ik op die foto uit de Golden Dolls sta, maar dat heeft niets te betekenen. Ik zeg u nogmaals dat ik met deze zaak niets te maken heb en NEE, IK WERK NIET VOOR EEN INLICHTINGENDIENST. Hoe vaak moet ik dat nog zeggen? Ik ben een slachtoffer in deze zaak. (...) Inderdaad heb ik de rekening voor de drie meisjes betaald, en ook de champagne en de slagroom. Ik zal me ter beschikking houden van de Russische politie voor alle vragen die ze mij over het bloedbad wil stellen.'

JMD, importeur van radardetectors

'He said he was looking for new faces. It was my dream to become a model so I accepted to take pictures at his studio. He was very professional so we had an affair together. It didn't last long. He said I was too young, he was nervous, always asking for my I.D. card. But Karolina Kurkova was fifteen when she signed her first contract with Miuccia Prada! I don't see the problem.'

Joergita P.,
model, Aristo Agency, Moskou

'Ik weet niets over hem, maar hij heeft me wel verteld over zijn banden met de priester. De orthodoxe kerk staat zeer dicht bij de macht. Het is inderdaad mogelijk dat hij het op een actie van een "bojevik" – een Tsjetsjeense rebellenstrijder – wilde laten lijken, zodat hij niet verdacht zou worden als hij op de vlucht sloeg. Wie zal het zeggen?'

Irina V.,
freelance pr-functionaris,
belast met de event communication van
de Aristo Style of the Moment-wedstrijd.

'Ik weet niet of dit verhaal u van nut kan zijn bij het begrijpen van de gebeurtenissen. Op een dag, tijdens een fotoshoot in de studio, zei die psychopaat dat hij me twee keer aan het huilen kon krijgen door me één verhaal te vertellen. Hij wilde dat mijn ogen glinsterden, zodat er emotie in het beeld zou liggen. Ik zei dat hij het maar moest proberen.

"Stel je een baby-ijsbeer op een ijsvlakte voor, die vrolijk rond zijn moeder dartelt. Plotseling schiet een jager de moederbeer dood. Ze glijdt uit en valt op haar zij, terwijl een kleine rode cirkel op haar smetteloze vacht steeds groter wordt. Ze gromt van de pijn. Het beertje heeft niets door, hij blijft maar bokkensprongen maken, totdat hij merkt dat zijn moeder niet meer beweegt. Eerst denkt hij dat ze slaapt. Hij duwt tegen haar aan, knabbelt op haar snuit, snuffelt aan haar gesloten ogen. Hij probeert een van haar poten op te tillen, dan een andere; log vallen ze terug in de rode, plakkerige

sneeuw. Zo probeert hij zijn moeder tien, twintig, dertig minuten lang te wekken. Uiteindelijk begrijpt hij dat zij zojuist voor zijn ogen is gestorven. Hij begint te janken, eerst een hees, gedempt gehuil als het gejammer van een kind dat zich pijn heeft gedaan, en dan schreeuwt hij, hij jankt, brult naar de maan. Probeer je je dat schattige beertje voor te stellen dat beseft dat het voortaan alleen op de wereld staat, dat in de steeds uitdijende bloedplas onmenselijke kreten uitstoot, of beter gezegd: menselijke kreten, wat voor een dier nog erger is."

Toen hij me dat tafereel beschreef, begon ik te huilen. Zelf huilde hij ook. Het was heel intens. Hij ging door.

"Zie je het voor je? Het kleine beertje huilt tranen met tuiten van verdriet. Hij brult om hulp, hij voelt zich verlaten, wanhopig. Een enorm verdriet over de dood van een ouder, die je dwingt om in één klap groot te worden, te midden van al dat gruwelijke bloed. Maar voordat hij definitief wegloopt over de ijsvlakte, lijkt het witte beertje te aarzelen; het draait zich nog een laatste keer om naar zijn moeder. Hij probeert haar oog te openen, likt aan haar snuit – hij blijft het proberen. En plotseling gebeurt er iets ongelooflijks: de moederbeer doet haar ene oog half open en dan het andere! Ze beweegt, ze ademt, ze begint te gapen en rekt zich uit: het babybeertje begint opnieuw te brullen, maar nu van blijdschap. Hij staat te dansen, grijpt naar zijn moeder die teder tegen hem aanduwt … Zie je het voor je? Eigenlijk was het maar een schampschot, de kogel van de jager heeft de mamabeer niet gedood, ze was alleen flauwgevallen terwijl haar wond heelde. Het is een wonder. De man is weer vertrokken, het beertje en zijn moeder kruipen dicht tegen elkaar aan om elkaar te verwarmen en verdwijnen dan in de sneeuwstorm, blij alsof ze net herboren waren."

En Octave had gelijk: ik begon opnieuw te huilen, hete tranen, dit keer van geluk. Het was prachtig. Hij maakte achter elkaar foto's van mijn tranen die mijn kohl lieten uitlopen. Mijn verdriet was fotogeniek: het leek wel een Sisley-reclame.

"Zie je," besloot Octave, "die tweede tranen zijn mooier, want

dat zijn de tranen van de wederopstanding. Wat ik je net heb ver-
teld is het mooiste verhaal in het heelal: het evangelie.'"

Irina K.
model, Aristo Agency, Moskou

'Hoe zijn jullie aan mijn nummer gekomen? O! Die Fransman
die me voor een Wit-Rus aanzag, ik heb hem weggestuurd, die de-
biel, ik wist wel dat ik hem mijn adres niet had moeten geven. Hij
smeekte me de hele nacht om mijn nummer! Hij was op zoek naar
drugs, hij zei dat hij gestopt was maar hij had het nergens anders
over, zoals alle junks die zonder zitten. Hij zei dat het probleem
met coke was dat je er of te veel, of te weinig van nam. Die arme
stakker! Het is een principe van me om nooit iemand mijn telefoon-
nummer te geven, dat geeft alleen maar gelazer, en uw telefoontje
bewijst dat ik gelijk heb!'

Tanja S.,
studente, Nizjni Novgorod

Ik weet niet wat ik u over mijn zoon moet vertellen. Ik ben in
shock. De beelden van die lichamen ... Excuseer. Hebt u een glas
water voor me, alstublieft? (...) Hij was een levendig, sprankelend
kind. Hij wilde altijd opvallen, danste rond en hing de clown uit,
tegenwoordig noemt men dat hyperactief, maar toentertijd heette
dat een onoplettende leerling. Ik beschouwde de klachten van zijn
docenten als complimenten, ik heb hem de waarde van brutaliteit
geleerd, hemeltje, u vindt toch niet dat het mijn schuld is? (...) Ik
heb ze helemaal alleen grootgebracht, zijn broer en hem, en dat
was niet altijd even gemakkelijk, ik vermoed dat hij zijn verdriet
verborgen hield, zoals ik het mijne ook wegstopte ... Maar kinde-
ren voelen de weerklank van verdriet. Ik geloof niet dat ik Octaves
verlangen naar mij heb gevoed of de concurrentiestrijd met zijn
oudere broer heb aangewakkerd. Maar het is waar dat ik het heer-
lijk vond om twee jongens in huis te hebben die gek op mij waren!
Het is niet gemakkelijk om zijn waanzin te begrijpen. Het heeft
hem nooit aan liefde ontbroken. Of hij misschien te veel liefde heeft

gekregen? Je gaat een moeder toch niet verwijten dat ze te veel van haar kinderen houdt? Helaas is echtscheiding iets heel banaals, die maken alle kinderen tegenwoordig mee, dat is maar een uitvlucht, die krijgt overal de schuld van, want als alle kinderen van gescheiden ouders het verstand hadden verloren zou de wereld barsten van de loslopende geesteszieken. Niet dan?'

Sophie de L.,
moeder van de verdachte, Parijs

(getuigenissen verzameld op het hoofdbureau van politie
te Moskou, na de ramp)

TWEEDE DEEL

LENTE

(VESNA)

'Op 29 april spoelde een onweersbui de straten van Moskou met ruim water schoon, de hemel werd lichter en zachter, mijn ziel kwam weer tot rust en ik voelde een nieuwe levenslust.'

MICHAIL BOELGAKOV,
Zwarte sneeuw, theatrale roman, 1966.

I

U ook zdrastvoejtje, Papatsja! Hebben mannequins een ziel? Ik heb een metafysica van het topmodel bedacht op het moment dat ik op mijn tenen uw atoompaddestoel betrad. De taxichauffeur die me voor uw huis afzette, was zeer beleefd toen ik zei dat hij het wisselgeld kon houden.

'Ik wens je toe dat je even rijk wordt als Roman Abramovitsj, die half Engeland heeft gekocht, en dat je 107 jaar oud wordt, net als mijn baboesjka!'

Fooien zijn bevorderlijk voor de vriendschap. Hartelijk dank dat u me wederom hebt willen ontvangen, waarde paternoster. Vanmiddag weerkaatste het water dat uw vergulde koepel omringt de purperen lucht, die doorstreept was met gele hijskranen die fluiten in de wind van de Moskwa, ik bedoel te zeggen dat het hier in de buurt zo prachtig is, als je van het einde van de wereld houdt tenminste. Wat een vreugde om de Loejkovbrug over te steken als je van het eiland komt waar chocolade en huizen voor de rijken worden gemaakt, en dan de treden die zo grijs en roze als wolken zijn te beklimmen en langs de straatlantaarns te lopen die uw 'waanzinnige inktpot' met licht bespikkelen. Vanaf de andere kant van de grijze rivier is het huis op de oever altijd gastvrijer dan in het verhaal van Ribakov. In de luxeappartementen van Moskou is de nomenklatoera vervangen door de oligarchie. Iemand moet me het verschil eens uitleggen: persoonlijk zie ik het belang niet in van revoluties die niets veranderen. Of toch wel: vroeger keken de collaborateurs uit over een zwembad, nu zien ze uw kerk. Dat zal wel vooruitgang zijn. Maar ik wil u wel zeggen dat de bas-reliëfs van namaakbrons die uw gevel verfraaien absoluut weerzinwekkend zijn, en de nepmarmeren plavuizen ook. Waarom hebben jullie de resten van de oude Christus-Verlosserkathedraal, die op het kerkhof van het Donskoj-klooster liggen, er niet opnieuw opgeplakt? Die hadden uw gloednieuwe kathedraal wat patina gegeven. Uw fresco's zijn nog maar net droog en de muren zijn te gaaf; het lijkt alsof je door een filmdecor loopt, de sfeer is niet heilig genoeg: zelfs de gebeden lijken van bordkarton. Iezvinietje, ik heb altijd overal kritiek op: dat is de grote makke van de Fransen: ze hebben een grote mond maar zetten zelf nooit gebouwen neer. Trouwens, nu ik toch aan het klagen ben: het is nogal vermoeiend om staand te moeten biechten. Sinds ik hier kom, heb ik last van mijn rug. Waarom zetten orthodoxen geen biechthokjes neer, zoals katholieken? Vanwege uw masochistische rituelen moeten wij hier staand praten, omringd door een menigte gehoofddoekte besjes die ieder woord proberen op te vangen. Ik ben nog blij dat ze niet zo vloeiend Frans praten als u, sinds uw Parijse ballingschap in de jaren negentig. Vroeger spraken alle Russen mijn taal: Dostojevski met zijn kinderen, Toergenjev met Flaubert, Nabokov met Pivot en Gabriel Matzneff met mij. Tegenwoordig is dat eraf: het is vervangen door het Engels, net als overal. Van de Parijse kozakken is er in mijn taal niets anders meer over dan het woord 'bistro' (wat 'snel' betekent), al is dat wel een woord dat ik erg vaak gebruik en dat dus niet te verwaarlozen is. We spreken een dode taal, en dat beschermt ons tegen nieuwsgierige oren. Maar echt, dat staan is niet bevorderlijk voor het vragen van vergeving voor je zonden! En dan uw missen, die vier uur duren (en straks met Pasen zes), die zijn ook niet aan te raden als je de vorige dag feest hebt gevierd! De vorige keer dat ik u zag, vergeleek ik u met een psychoanalyticus, maar bij Freud kon je tenminste nog liggen …

Ik neem het mezelf zeer kwalijk dat ik maandenlang niets van me heb laten horen: ik werd opgehouden door mijn werk. Ik moest terug naar Parijs om een paar client meetings bij te wonen. Ik moet zeggen dat de sfeer er nog zwaarmoediger was dan indertijd, toen u de mis opzegde in de Alexandre-Nevski-kathedraal in de rue Daru: de winter is er misschien minder streng dan hier, maar Fransen zijn wel deprimerender dan Russen. Wat wilt u? Ze hebben hun dromen nog niet opgegeven, ze zijn nog altijd op zoek naar licht aan het einde van de tunnel, is het niet schattig … Wat zegt u? Inderdaad, sommigen van hen geloven zelfs nog in uw God, dat klopt. Maar bij modellenbureaus zijn die mensen in de minderheid. Om de afwezigheid van alle hoop te verzachten laaft het merendeel zich aan genot, net als ik. Mag ik u iets opbiechten? Daar ben ik hier immers voor. Ik denk dat het merendeel van uw Russische gelovigen in God vlucht zonder echt in hem te geloven, alleen maar omdat hij de voorkeur verdient boven het kapitalisme. Die terugkeer naar de bron verschaft een pasklaar antwoord om geen angst te hoeven hebben na de val van het sovjetregime. Het mondiale hedonisme stoelt op dezelfde basis als de macht van Stalin: leugenaars die zich op idioten richten. Maar hedonisme is leger dan communisme: het is de eerste pessimistische godsdienst. Dus God is … minder erg dan de goelag en minder duur dan een Bentley. Wat een merkwaardige eeuw … Het was nogal de moeite om zeventig jaar lang revolutie te voeren om daarna Moskou in Las Vegas te veranderen en je dan weer tot de kerk te wenden om je smerigheden op te biechten.

Ik kan u verzekeren dat het merendeel van de atheïsten die ik ontmoet met hetzelfde bezig zijn als uw onlangs bevrijde kudde: niet na hoeven denken. Vluchten voor lastige vragen is een fulltime baan (Ben ik gelukkig, verliefd, verdoemd? Ben ik een levende dode, achtergelaten op een dorre aarde? Heb ik een reden om te blijven leven en al die belasting te betalen? Hoe moet je mannelijk blijven in een matriarchale wereld? Waardoor zullen we God nu weer eens vervangen: een webcam, een zweepje of een schoothondje?). Om hun eenzaamheid te vullen en de stilte te verdrijven kopen de ongelovigen auto's op krediet of downloaden ze muziek, beginnen ze bij de lunch al te pimpelen, slikken ze 's ochtends uppers en 's avonds downers (en soms andersom), laten ze de namen op hun mobieltje passeren, zeggen achter elkaar 'ik hou van jou' in een paar verschillende voicemailboxen, abonneren zich op alle pornokanalen, vullen hun agenda's met afspraken die ze op het laatste moment afzeggen uit vrees dat ze in het openbaar geen woord zullen kunnen uitbrengen zonder in tranen uit te barsten, lopen over straat terwijl ze hun sms'jes lezen, zonder op of om te kijken (zodat ze labradorstront onder hun rechterschoenzool vinden), rukken zich af op de *Playboy* of de *In Style*, gillen van vreugde als de aanvoerder van het voetbalteam een tegenstander een kopstoot geeft, wandelen door ondergrondse winkelcentra die op pretparken lijken, waarbij ze over de op de grond liggende zwervers heen stappen, gaan met elkaar op de vuist om eerder dan de buurman een Nintendo Wii te bemachtigen, bellen vroeg in de ochtend met de crisisdienst om een menselijke stem te horen, doen zichzelf de dvd-box van het tweede seizoen van *Six Feet Under* cadeau, die echter in het cellofaan blijft omdat ze zich liever betasten onder het lezen van sadomasochistische beeldverhalen en de rest van de tijd achterstevoren over een lopende band rennen om te vergeten dat de ozonlaag met het uur dunner wordt. De hedonistische industrie voorziet in een verschrikkelijke hoeveelheid afleidingen om onze geest bezig te houden. Is dat niet vooral om te verhinderen dat we onze geest zouden gebruiken? Dat is niets nieuws (Plato en Pascal merkten lang geleden al op dat de mens de werkelijkheid probeert te ontvluchten), maar het fenomeen versnelt zich. De mens heeft nog maar één gedachte: zijn gedachten verzetten. Hij vlucht voor iets, hij zoekt zijn toevlucht in het genot, maar volgens mij is vluchten niets anders dan omgekeerd zoeken. Wat ze zoeken? Liefde, denkt u? Hemeltje, spaar me uw postcommunistisch-orthodoxe preekpraatjes. God? Nog zo'n utopie. Een droom over een droom. Dat betekent dat ze staande slapen, net als u, wanneer u naar me luistert.

2

'Heren, ons doel is simpel: ervoor zorgen dat drie miljard vrouwen op dezelfde vrouw willen lijken. En mijn taak is om te ontdekken welke.'

Niet slecht als inleiding, wel? In Parijs liet ik de polaroids van de Aristo Moskou Casting op het hoofdkantoor van L'Idéal zien, u weet wel, die carcinogene-wangenzalfjeszaak waar ik het de vorige keer over had. Jammer genoeg ging ik na die inleidende zin volkomen op mijn bek: geen van de meisjes beviel, ze werden ongeduldig, ze wilden het gezicht van hun merk verjongen zodat het weer een paar jaar mee kon en de inzet was zo hoog dat mijn cliënten geen enkele beslissing durfden te nemen. Met ieder meisje dat ik voorstelde was wel iets mis: Joergita was te jong, Katarina te ordinair, Tanja te groot, Irina te goedlachs, Olesja te mager, Ksenia te hitsig, Dana te lief ... Ik liet de product managers kwijlen van begeerte omdat ze nooit in hun leven zo'n meisje zouden ontmoeten (of wel, tien minuten lang, tijdens de fotoshoot, wanneer ze hun haar hand zou toesteken zonder ze aan te kijken, met krulspelden in het haar en een mobieltje aan het oor en beleefd glimlachend, om vervolgens haar seksleven uit de doeken te doen aan de visagist). Moeilijk doen was de enige manier waarop het team van L'Idéal zijn seksuele frustratie kon afreageren: voor het eerst in hun leven hadden ze macht over Mooie Meisjes.

'Die ziet er te Slavisch uit.'

'Die daar is goed, alleen lijkt ze door dat schoonheidsvlekje te veel op Cindy Crawford.'

'Heb je die niet in een meer westerse uitvoering? Minder eighties? Meer glowy? Minder pulpy?'

'We moeten er een hebben die Frans praat, voor de televisie-campagne.'

'Uw meisjes zijn te girly, niet wild genoeg.'

'Ja, inderdaad, we willen het merk niet verjunioriseren.'

'Wat we zoeken is rock-'n-roll, glam, het moet ... swingen! (gegeneerd kuchje) ik bedoel ... trashen.'

'Ho ho, we zijn een mainstream brand.'

'Ja, maar trash ís mainstream tegenwoordig!'

De vent die dat zei, veegde zijn hoofd af met een papieren zakdoekje waarin het logo van L'Idéal stond geperst: *L'Idéal – because you are all unique.*

'We moeten ons in de toekomst positioneren, in de movement, in het gevaar.'

'Waarom regelen we geen paparazzo die een van uw meisjes betrapt terwijl ze een dikke lijn snuift? Dat heeft de carrière van Kate ook weer op de rails gezet.'

'Valt me van je tegen, veel te voorspelbaar.'

'En dat kunnen we hoe dan ook niet greenlighten.'

'Ze zien er stuk voor stuk te slaperig uit. Ze hebben geen presence. Ze zijn inwisselbaar.'

Een Zuid-Koreaanse transseksueel kwam veel te laat binnen en maakte een gebaar met zijn waaier wat betekende 'ga door, ik ben er niet', wat bewees dat hij de enige aanwezige van belang op deze meeting was. Ze was een enorme gemuteerde diva die als twee druppels water op Grishka Bogdanoff leek, met grauwe, verbouwde jukbeenderen en gekleed in een strak, gedecolleteerd jasje, met lang haar, samengebonden in een cadogan; de 'shemale' streelde haar paardenstaart die vijfentwintig miljoen euro per jaar aan advertentieruimte woog.

'Ik zat zo te denken: moeten we wel een Russische nemen? Waarom geen Tsjetsjeense?'

'Geweldig idee!'

'Lee, you're so bright!'

'Een Tsjetsjeense zou een enorme spin-off opleveren!'

'Geweldig voor het image van L'Idéal, het is humanitarian, charity, enorme brand retribution!'

'Een moslim strookt wel niet met onze best practice, maar we

76

kunnen de regels wel omgooien. Wel even dubbelchecken met de zonedirecteurs.'

'Als het gebenchmarkt is, koop ik voor 800%!'

'Wacht even, wil je een cokesnuivende Tsjetsjeense of een gewone?'

'Heel grappig. Shut the fuck up. Too many jokes.'

De voormalige algemeen directeur van L'Idéal Paris International was de algemeen directrice geworden door van geslacht te veranderen, net als een van de gebroeders Wachowski. Deze recente vrouw (hij had zich net een stel 90C's laten aanmeten) was een van de machtigste mensen op aarde: de smaak van Lee Chan-Yong bepaalde het uiterlijk van miljarden vrouwelijke consumenten. Als hij zijn mond opendeed, hielden de andere directeurs de hunne: spilverantwoordelijken, divisiedirecteurs, groepshoofden en product managers – stuk voor stuk raakten ze hun tong kwijt. Een man die van geslacht kon veranderen, móést wel verstand hebben van vrouwelijkheid. Zijn woord woog zwaarder dan het woord van om het even welke man of vrouw, want hij was allebei. Lee Chan-Yong was verder gegaan dan al zijn collega's om zijn klanten te begrijpen; de onomkeerbare verwijdering van zijn penis was toch zeker een enorm blijk van plichtsbesef? Al snel begreep ik dat ik vandaag geen vers vlees zou verkopen; ik kon mijn lading mjaso weer inpakken. Ik had zin om tegen de cliënten te zeggen: 'Hoe durven jullie kritiek te hebben op deze casting? Kijk eens naar mijn Schoonheden en daarna naar je eigen vrouwen!'

Maar ik hield me in, omdat ik de echtgenote van de dragqueen die de baas was in deze tent niet ken. Aristo is doodsbang dat L'Idéal ons tegen een ander bureau laat concurreren, ons zonder voorafgaande waarschuwing in de steek laat of nog erger: een filmster contracteert. Er staat een helse druk op mij, als ik die bewoordingen durf te gebruiken in het huis van God. Maar 'Wat doe je eraan?', zoals kameraad Lenin al zei. Ik ga toch geen Tsjetsjeense uit Grozny tussen de bommen vandaan vissen ... Ik kan echt zeggen dat ik overal genetwerkt heb: ik ben de arbeider Stachanov van het clubcircuit, de Wandergoj. Ik heb inlichtingen ingewonnen bij alle heteroseksuele playboys van Moskou, ik heb alle compulsieve neukers van de Russische gouden jeugd gevraagd om me naar de leukste meisjes te brengen die ze kennen, heb honderden mobiele nummers opgeschreven, evenveel afspraken gemaakt en bijna even vaak kwam er niemand opdagen, ik ben iedere avond naar de Turandot gegaan, de Gazgolder, de Kricha, de Podval en de Luba, op zoek naar kleine kontjes en grote borsten (die zelf op zoek waren naar uitgehongerde oligarchen), ik heb zelfs buiten uw keizerrijk gekeken, in Kiev, Riga, Vilnius, Sofia, Warschau, Belgrado, Zagreb, Boekarest, Boedapest (in Oost-Europa lijken zelfs de plaatsnamen op elkaar: dacht je dat je in Roemenië was? Welnee sukkel, je zit in Hongarije!), ik ben alle Fashion Lounges afgestruind, waar de meisjes die voorbijtrekken over de plasmaschermen dwergen zijn in vergelijking met de meisjes achter de bar, ik heb lidmaatschapskaarten van alle Private Gentlemen's Clubs van Oost-Europa. Ik heb zelfs vriendschap gesloten met Gulliver (de eigenaar van de Diaghilev) en Sasja Sorkin (van de Cabaret en de GQ), en dat alles om in Parijs plat op mijn bek te gaan. Ik begin te twijfelen aan mijn vakmanschap.

3

Het maakt ook niet uit: in het slechtste geval heb ik me uitstekend vermaakt. Weet u, ik heb nogal wat meegemaakt sinds we elkaar in Parijs uit het oog zijn verloren: toen werkte ik voor een reclamebureau, daarna ik ben de wereld rondgereisd, toen heb ik een boekje geschreven om te zorgen dat ik werd ontslagen, heb ik zelfs even in de bak gezeten wegens medeplichtigheid aan moord, een lelijke geschiedenis, iets wat me gebeurd is op een nacht vol dronkenschap in Florida … Daarna heb ik negenennegentig dagen lang televisie gemaakt in Frankrijk, het maakte allemaal niet uit, ik was op zoek naar mezelf … Nu ik hier woon, geloof ik dat ik mezelf eindelijk gevonden heb. Het is vreemd: in Moskou ben ik nooit gedeprimeerd geweest. Ik dacht hier dat ik veilig was, omringd door jonge meisjes met push-upbeha's en golvend haar, die ik mee uit eten nam in de Poesjkin of de Prado om ze daarna in de First, vlak bij de trage rivier, op schoot te nemen … en dan te zeggen: 'Kus mijn horloge, dat is het duurste aan me.'

Sommige meisjes likten eraan, knabbelden erop, namen het in hun mond. Ik loog niet zó veel dat ze voor me vielen. En dan was er nog dat geweldige restaurant De Ooievaar (*Aist*), waar je regelmatig door gangsters wordt beschoten. Kogels ontwijken in een vuurgevecht is een razend populaire sport in Moskou: zoiets als de reuzenslalom bij ons in de Alpen. De dag na zo'n slemppartij ging ik naar de baden van Sandoenov om me in een oververhitte hamam door dikke worstelaars met harige ruggen met bukstakken te laten slaan. Wanneer mijn lichaam paars was, zetten ze me in een houten teil vol ijswater en smeten ze emmers kokend water over me heen, en dan barstte ik in lachen uit, waarna ik me zelfs nog eens geselde met berkentwijgen om te bewijzen dat ik een man was. De kater verdween geleidelijk aan uit mijn systeem en werd vervangen door pure, simpele pijn.

In Rusland dient lichamelijk lijden ertoe om het morele lijden te vergeten.

Voor de hardnekkigste meisjes, degenen die werkelijk geen rekening wensten te houden met het feit dat ik bestond, had ik een geheim wapen: na mijn laserbehandeling had de chirurg me hylo-comod-oogdruppels voorgeschreven om mijn netvlies vochtig te houden. Ik ging naar de wc en goot er zo veel van in mijn ogen dat het eruit liep. Door mijn neptranen smolten zelfs de meest weerbarstige meisjes; sommigen werden zelfs ter plekke verliefd op me (Russische jongens huilen nooit, behalve in hun diensttijd). Ik deinsde er niet voor terug om Toergenjev te citeren: 'Bange gevoelens, zachte melodie, eerlijkheid en goedheid van een ziel die verliefd wordt, vreugde en verlangen van de eerste liefkozingen van de liefde – waar zijn jullie?' Dat had nog nooit iemand voor ze gedaan. Een Fransman die ze jankend een alinea uit *De eerste liefde* citeert – ze vielen als vliegen. In Moskou gebruiken de mannen geen opsmuk bij het versieren. Ze zijn nogal direct: ze drinken als tempeliers en snuiven hun neusgaten vol omdat ze doodsbang zijn, het zijn goedgebouwde kerels in getailleerde antracieten pakken van Roberto Cavalli, maar in hun pakjes zijn het lafbekken die die gracieuze feeën niet aan durven spreken. Als ze eindelijk zover zijn, zijn ze al ladderzat en hebben ze niet veel tijd meer om te praten; ze worden agressief, ze tergen de meisjes met hun gistende adem en trekken ze mee aan hun arm, wat soms blauwe plekken veroorzaakt. Sommige meisjes houden ervan; die zijn eraan gewend. Ik kan alleen maar zeggen dat mijn methode daar een scherp contrast mee vormde. Ik was de tengere huilebalk die dode dichters citeerde en ze ondertussen een fenomenaal contract aanbood bij de wereldleider op het gebied van de cosmetische industrie. Een mokerslag, echt waar. Ik zal nooit meer aan een ander leven kunnen wennen. Ik weet niet hoe normale mannen tevreden kunnen zijn met een enkele vrouw, steeds dezelfde, decennia lang. Bestaan zulke mannen eigenlijk nog wel, vader?

Mijn professionele romantiek kon niet verhinderen dat ik de jonge modellen als vee beschouwde; ik was niet in staat om enige vorm van emotie te voelen voor die meisjes als ik ze in mijn auto meenam, op de muziek van de 'Danse des adolescentes' van Stravinski (na vijf uur techno in de Diaghilev wisten die chickies nog niet eens dat die club genoemd was naar de uitvinder van het Russische ballet!). Ik beschouwde ze als jonge hertjes die ik moest vangen voor mijn menselijke dierentuin. Excuus, o metropoliet! Ik mocht graag meisjes vinden die onderdaniger waren dan de meisjes in mijn geboorteland, schoonheidskoninginnen die me niet direct begonnen te castreren. Is het een toeval dat slaaf en Slaaf hetzelfde woord is? Eerlijk gezegd was ik vergeten dat er vrouwen bestonden die in staat waren om schitterend te zijn zonder een man direct te willen ontmannen. Ik ontdekte de mannelijkheid van vóór de vrouwelijkheid. Er moet een tijd zijn geweest dat alle vrouwen de ogen neersloegen zoals deze jonge Russinnen, als idyllische popjes die onderdanig deden om de boel beter naar hun hand te kunnen zetten. Ik ben geen vrouwenhater, maar ik stel vast dat het feminisme een einde heeft gemaakt aan de humor die het mannen en vrouwen mogelijk maakte om geen gevecht met elkaar aan te hoeven gaan. Maar nu is de bel gegaan en is het speelkwartier voorbij. En nu we gelijk zijn, spelen we niet meer met elkaar. We zijn concurrenten in een eenzame wedren geworden.

Ook was ik dol op hun armoede, de manier waarop ze zich gaven in ruil voor roomservice in het Marriott; hun imitatie-merkkleding, namaakbont, valse juwelen, goedkope eau de toilette die naar synthetische rozen stonk … alles wat me herinnerde aan hun misère wond me enorm op. Op een keer vroeg een van hen om een metrokaartje om thuis te komen. Ik lachte me slap van binnen! Eén telefoontje naar Sergei en ze zou zich voortaan alleen nog maar per Hummer verplaatsen: industriëlen weten hoe ze goed werk moeten belonen.

4

'Octave, weet je zeker dat je geen Tsjetsjeens bommetje bij je hebt?'

'Hooooo! Godverdomme baas, wil je ons dood hebben of zo? Zeg zoiets NOOIT hardop op een Russisch vliegveld! Excuseer, hij maakte maar een grapje, het heeft niets te betekenen, meneer de douanier, zijn papieren zijn in orde, fransoeski, u weet hoe lomp we zijn ... Hier, accepteert u dit honderddollarbiljet bij wijze van schadeloosstelling, pazjaloesta, diplomat, dokoementi, mogen wij misschien voor? Ambassad, government friend of President Poetin, da, da, spassieba.

Bertrand, mijn geliefde baas bij Aristo, zat zich op te vreten toen we bij L'Idéal vertrokken, en direct na zijn aankomst in Moskou vroeg hij om alle Tsjetsjeensen te zien die we sinds 1991 hadden gecast. Ik geloof dat hij in zijn onderbewustzijn een beetje verliefd was op Lee Chan-Yong, de hermafrodiete directeur van L'Idéal. Het was een obsessie van hem om hem niet teleur te stellen. Maar ik had natuurlijk al lang gekeken: er lag niets verkoopbaars in het magazijn. Onze meest recente Tsjetsjeense mannequins zouden inmiddels al huismoeder zijn of in een massagraf liggen. Ik nam Bertrand mee naar het huis van de Idioot, in het dorp Joekovka, met de verdieping met de discotheek/wapenhandel/schiettent voor pistoolmitrailleurs, de verdieping met het verwarmde zwembad, de verdieping met het verwaterpijpte oosterse boudoir vol kussens, de verdieping met de airconditioned bioscoopzaal, de loft in een mengsel aan designstijlen en de teakhouten terrasverdieping met wintertuin, palmbomen, solarium en heliport. Hij gaf er de voorkeur aan op de oriëntaalse etage te gaan liggen met een dvd van *Lassie*. Milana, de PA van Sergei, en twee Oezbeekse tienermeisjes serveerden hem plov* op zijn buik – ik geloof dat ik wel kan zeggen dat het nogal risqué was. Ik heb in Parijs dan misschien geen gezicht weten te verkopen, maar met de video die Sergei stiekem van hem heeft gemaakt, kan Bertrand me in elk geval nooit meer ontslaan.

Was hij niet de man die, toen hij me tegen een klein, vast salaris in dienst nam, duidelijk maakte dat het mooiste aan dit vak de beloning in natura was? Vergeet nooit dat alle modellenbureaus zijn opgericht door oerlelijke mannen die met prachtige vrouwen naar bed willen, en dat ze daar zo goed in geslaagd zijn dat het al lang niet mooi meer is.

Tsjort! Ze moet zich ergens schuilhouden, de vrouw die alle Aardse vrouwen na willen doen. Om haar op te duiken moet ik opnieuw iets organiseren waaraan ik een grotere hekel heb dan aan wat ook ter wereld: een 'Aristo Style' schoonheidswedstrijd, met een défilé van maagden en een cosmetisch contract in het vooruitzicht. Het is een wondermiddel: je hangt affiches op in provinciestadjes en je plaatst advertenties in de lokale pers: 'Ben jij een jonge, sexy Tsjetsjeense? Stort je in het unieke avontuur van onze grote casting. Schrijf je vandaag nog in op www.aristostyle.com en word het nieuwe, internationale boegbeeld van het prestigieuze merk L'Idéal. Let op: voor deelname moet je twee kleurenfoto's opsturen (een portretfoto en een foto ten voeten uit) en in het bezit zijn van een geldig paspoort. De organisatie zal zorgdragen voor de visa voor de prijswinnares(sen).' Daarna hoef je alleen maar een fotoshoot in een bezemkast voor

---

* Een ragout van dood schaap, een uur lang gekookt in zijn eigen vet, met bruine groenten die aan het oppervlakte drijven en olieachtige rijst; een exquise traditioneel gerecht, afkomstig uit Samarkand. Uitsluitend te proeven in geval van onafwendbaar militair conflict met een van de aan het Aralmeer grenzende republieken. (noot van de auteur)

de winnares te regelen en ze denkt dat ze het gemaakt heeft (onder aan het inschrijfformulier staat een opmerking dat L'Idéal zich alleen verplicht tot lokale exposure voor het evenement en dat de foto's van het defilé world wide mogen worden gebruikt zonder dat daar een vergoeding tegenover staat, je moet niet denken dat we achterlijk zijn). Ik ben trots op mijn vondst voor de titel van de flyer: STRAKS ZIJN JULLIE ALLEMAAL UNIEK. Altijd leuk om je machthebbers belachelijk te maken. Mond-tot-mondreclame neemt het over, want behalve de uitstapjes van de zoon van Philippe Tesson gebeurt er oostelijk van de Wolga weinig glamoureus. Iedere keer dat we niet weten wat we moeten, komt Bertrand met het idee om zo'n finale op touw te zetten, en het gaat altijd op dezelfde manier: je huurt een oud theater, er komen driehonderd onbekenden opdagen en je hoeft alleen nog maar te graaien in de grote hoop. Oké, zo simpel is het niet: soms moet je de reiskosten vergoeden, en het verblijf in een armetierig hotel, en eten dat niet al te verrot is, anders krijgen ze puisten op hun kop. Je leert ze over de catwalk lopen, je leert ze hoe ze hun hoofd moeten houden, je geeft ze een nummer en ze komen twee keer langs (een keer met kleren aan, een keer in badpak) en je geeft ze een cijfer, in het bijzijn van hun familie die ze filmt met een oude filmcamera met zwengel, je laat ze in kleine slipjes ronddansen in het licht van een schijnwerper en stelt er uiteindelijk 299 teleur. Die arme schatten. Voor de grap zetten we af en toe een valstrik, dan leggen we bijvoorbeeld een stapel mooie wikkelrokken in de kleedkamer neer. Degenen die opkomen met een wikkelrok om het middel vallen direct af (volgens het strandaxioma van Bidart: 'Zeg je wikkelrok om het middel, dan zeg je dikke reet eronder'). Carmen Kass is ontdekt op net zo'n concours in Paide, in Estland. Ze was op haar veertiende Miss Järva-Jaani toen Eric Dubois haar ontdekte op de Baltische stranden. Hetzelfde geldt voor Gisele Bündchen, winnares van het Elite Model Look-concours in Brazilië. Natuurlijk werkt het, dat betwist ik niet, ik zeg alleen dat de methode minder klasse heeft dan het ouderwetse scouten, het aanspreken op straat of in de kroeg; daar is lef voor nodig, durf, improvisatietalent, je moet van gevaar houden, je moet ze verleiden, aan het lachen maken, geruststellen, in je zak steken. Het is nooit bij voorbaat al gewonnen. Hebt u weleens meisjes van een jaar of dertien, veertien proberen te bekeren, vader? Niet gemakkelijk, wel? Er zijn mannen die legendarisch zijn geworden in deze kunstvorm, want ja, het is een kunst, daar blijf ik bij. Ze gingen eropaf, vol geestdrift en zonder vangnet. Ze trotseerden de storm, ze liepen het risico om op hun bek te gaan. Ze streden met gelijke wapens. Zeker, die meisjesjagers deden niet aan hoofse liefde (er zijn wel betere troubadours), maar ze stelden zich tenminste wel bloot aan vernederingen, moesten weigeringen ondergaan, maakten zich iedere avond van de week belachelijk. Dat is allemaal voorbij: sinds de komst van het internet is het versieren rationeel geworden, je hoeft alleen een kleine advertentie te plaatsen en ze komen er met duizenden tegelijk op af om zich voor drie roebel vijftig publiekelijk te vernederen in een spektakel dat world wide al uitverkocht is in de voorverkoop. Je stelt een lijst op van uiterlijke kenmerken en de namen vallen je in de schoot, inclusief foto en e-mailadres; met de komst van de technologie is de poëzie uit de girlscouting verdwenen. De wereld is veranderd: vroeger joegen wij op hen, nu komen ze bij ons smeken. Morgen komen ze in opstand, plunderen de evenementenzalen, steken de kantoren van onze modellenbureaus in brand en gijzelen onze bookers! De eerste Glamrevolutie, live uitgezonden op Fashion TV, zal hier in Rusland plaatsvinden, want hier zijn revoluties een nationale hobby, net als in Frankrijk. En ik zal u iets opbiechten, padre. Ik kan niet wachten totdat een van die godinnen met mijn hoofd op een spies rondloopt.

Hoe, wat zegt u, starets? Kent u een Mooi Meisje? Een ogenblik, pazjaloesta, dan haal ik mijn notitieboekje tevoorschijn, ik
luister, dank voor het in mij gestelde vertrouwen, ik zweer u dat
ik zal veranderen, ik wil niet meer zijn zoals ik ben, u bent mijn
redder, ik wil anders gaan leven. Naam, voornaam? Dojtsjeva,
Lena. Hoe spel je dat? Is ze mooi? Mooi zo, nog een engel, en
er zijn er al zo veel in uw kerk. Is ze Tsjetsjeens? Maakt niet
uit, dan liegen we wel. Nee, nee, absoluut niet, vader, ik twijfel
niet aan uw oordeel, maar u moet toegeven dat het nogal een
absurde situatie is: ik had nooit gedacht dat u me zou introdu-
ceren aan de dochter van een gelovige! Ze droomt ervan model
te worden, maar u hebt haar nooit ontmoet? Hemeltje, er zijn
zo veel meisjes die ervan dromen om miljoenen te verdienen
met nietsdoen, maar dat maakt ze nog niet tot Doutzen Kroes.
Ik hoop dat ze minder behaard is dan u! Ik maak maar een
grapje, vader. Heeft dat schepseltje een mobiel nummer of een
adres? Zit ze in Sint-Petersburg op het lyceum? Perfect, dat is
precies waar ik mijn modelsearchcontest wilde organiseren, dat
komt goed uit, oneindig spassieba. In Sint-Peet zal de 'burger-
verzetsbeweging' ons een handje helpen, buiten Moskou is de
jeugd veel moediger. Geen sprake van dat we naar Tsjetsjenië
gaan, veel te gevaarlijk! Liever seksbommen dan fragmentatiebommen, en liefst alleen aanslagen op de goede zeden. Ik ben
geen talentscout geworden om, tussen de antipersoonsmijnen
en fragmentatiebommen door, door oorlogslanden te ploegen.
Ik zal haar namens u bellen voor de casting en we zullen haar
aan Bertrand presenteren als een finaliste van Miss Tsjetsjenië.
Surrealistisch, nietwaar? Het is niet zeker dat de politie ons onze
gang zal laten gaan: hier moet je over advertentieruimte onderhandelen met een agentschap dat onder gezag staat van het pre-
sidentiële bestuur, en Poetin zal ons nooit een Tsjetsjeense laten

verkiezen, zelfs niet als ze dat eigenlijk niet is! Nou ja, het is grappig om te proberen, en als ze eenmaal een ster is durven ze ons toch niet meer te vermoorden. Ik had nooit gedacht dat ik in uw kathedraal zou kunnen recruiten. U zult zeggen: als er in een kerk al niets irrationeels gebeurt, weet ik niet waar het bovennatuurlijke dan wél plaats zou hebben. Heeft ze dan tenminste geprononceerde jukbeenderen? En tanden zo recht als pianotoetsen? En amandelvormige ogen, een volle mond, een blik als van een verschrikt hertje? Excuus voor deze maniakale vragenlijst, maar als deze biecht toch uitloopt op een zakelijke meeting kunnen we maar beter exact zijn. Heeft ze een nevelige blik, karmozijnrode lippen, een doorschijnende teint, een gezicht zo ovaal als een Fabergé-ei? 'Naar men zegt' is een echt jezuïetenantwoord. Kun je jezuïet en orthodox tegelijk zijn? Zoals je ook Tsjetsjeen kunt zijn en toch in Sint-Petersburg kunt wonen? Een paar dagen geleden kondigde een collega me de komst aan van een stel wulpse Tsjetsjeensen, maar het waren allemaal anorexiapatiënten met trauma's van de verkrachtingen door Russische soldaten, en de enigen die nog te verteren waren, waren zwanger. 'Helaas', zei ik tegen ze, en ik wees op mijn voorhoofd. 'Staat hier soms "Amnesty International" geschreven?' We zijn hier niet om onderdrukte weesmeisjes te helpen reïntegreren. Maar ik zal die kleine christin van u ontbieden. Ik vertrouw op uw oordeel. Een man die omgaat met de Heilige Maagd moet wel verstand hebben van pure tienermeisjes.

6

Weest u ervan overtuigd dat ik vereerd ben met het vertrouwen dat u in me stelt, ik zal laten zien dat ik het waard ben. Ik ben naar u toe gekomen omdat ik een ander mens wil worden. Ik kan mezelf niet uitstaan. Ik heb een oneindige zelfhaat. Zoeken naar je identiteit, ontdekken wie je bent, dat soort gezeik – allemaal lulkoek, heb ik heel lang gedacht. Maar ik word moe van mezelf … Wist u dat die manie van mij om 's nachts rond kerken te zwerven vorig jaar in Parijs is begonnen? Zo hebben we elkaar ook weer ontmoet, afgelopen winter, weet u nog? Iedere keer als ik in Parijs was, zwierf ik naar de Notre-Dame, de Saint-Sulpice of de Saint-Thomas-d'Aquin, op zoek naar een shot wijwater. Maar mijn favoriete toevluchtsoord was de Sainte-Clotildebasiliek op de hoek van de rue Las-Casas en de rue Casimir-Périer, in het zevende arrondissement: die kent u niet? U moet er beslist eens naartoe als u weer eens in Frankrijk bent, het is een van de leukste pelgrimsplaatsen van het land: een negentiende-eeuwse, neogotische dubbele spits op een klein kerkhofje tegenover een plein waar kinderen in peperdure jassen ronddartelen, bewaakt door Filippijnse nurses. Echt waar, in dat arrondissement is godsdienst opium voor de elite. Ik ben heel vaak onder de ongeslepen puntbogen neergeknield, de duistere blik van de steenrijke gelovigen trotserend, en als de deur dicht was omdat het vijf uur 's ochtends was, ging ik op mijn buik op het plein liggen, op de verlaten stenen plavuizen, mijn stoffige reet verlicht door een paar meelevende straatlantaarns, en dan schreeuwde ik:

'Afdalen naar de plees van de Mathis is hetzelfde als afdalen naar de hel!'

Jezus in het kerkportaal werd de hele nacht verlicht, hij opende zijn armen voor me, als enige in deze dode stad. Of hij zich voor ons heeft opgeofferd weet ik niet, maar ik weet wel dat je je aanzienlijk beter gaat voelen als je hem regelmatig bezoekt. Ik hou wel van zijn blik van een God die mens is geworden en die zijn vergissing iets te laat heeft ingezien. Hij kijkt ons vriendelijk aan, zonder misprijzen (maar wel een beetje ontsteld) en lijkt hetzelfde te zeggen wat hij ook tegen Tomas zei, in het Evangelie van Johannes: 'Gelukkig zijn zij die niet zien en toch geloven.' Een coole gast, die bescheiden baardmans. Hij is af-gedaald om ons te redden, en als dank hebben wij hem gemarteld en vermoord, en hij vergeeft ons onze ondankbaarheid. We vragen Jezus Christus om hulp en hij vraagt ons om vergeving. Voor een zoon van God heeft hij weinig kapsones. Ik ken ook 'zoons van' die zich heel wat beter voelen dan hij. En als ik dan bedenk dat hij zijn armen voor ons heeft gespreid en dat wij daar gebruik van hebben gemaakt om hem ter plekke vast te nagelen, zoals Nabokov zijn vlinders!

Waarom zijn alle kerken 's nachts gesloten, juist als je ze het hardst nodig hebt? Soms viel ik voor de deur op de grond in slaap. Aan mijn gesnurk konden de duiven afleiden dat ik niet aan het bidden was. De rest van de tijd lag ik plat als een pannenkoek op de grond. Een pannenkoek gekleed als Hedi Slimane. Als ik daar met mijn armen gekruist tegen de grond lag, benijdde ik de bomen: die hadden tenminste wortels. Tot dat moment had ik mijn katholieke opvoeding volkomen vergeten, en daar vroeg ik opeens vergeving aan de hemel, met de smoes dat ik een zenuwinzinking had. Is het niet grappig? Af en toe liet ik wat ongepaste tranen over mijn donkere wallen en mijn kersverse baard rollen. Als u eens wist hoezeer het me opluchtte om niet meer te hoeven glimlachen. Zo'n grijns tegen de wanhoop is een uitputtende gymnastiek. Nee, ik had geen visioenen zoals de heilige Theresa van Avila; als u het ergens mee wilt vergelijken, denk ik liever aan Durtal, de schrijver uit *En route* van Huysmans, die zich opsloot achter het valluik in de Notre-Dame-de-l'Atre … In mijn zak zat ook *L'Homme de désir* van Louis Claude de Saint-Martin (1790): 'Op ieder ogenblik van

ons bestaan moeten wij onze doden weer tot leven brengen' …
Laten we het netjes houden.

Ik had net begrepen dat ik in plaats van onbereikbare vrouwen te beminnen beter de Eeuwige Aanwezige zou kunnen aanbidden. Op het gevaar af dat ik gek zou worden op een niet-bestaand iemand! Ik zag niet in waarom ik niet van God zou houden, de grootste beloftenbreker die er is. Tegenover het 'credo quia absurdum est' van de oude Tertullianus ('Ik geloof omdat het absurd is'), zou ik een nieuw credo willen zetten: 'Ik geloof omdat het niet absurder is dan de rest.' Kijk eens aan: ik verkracht Tertullianus om hem Camusiaans te maken. De universele absurditeit heeft nog best ruimte voor het bestaan van een God; absurditeit is uiterst gastvrij. God is even absurd als ik en ik begrijp niet waarom Camus niet geloofde. Volgens mij geloofde hij wel, alleen wist hij het niet. Dank voor uw welwillendheid, vader, ik wist dat mijn heldenzang u zou vertederen. Mijn lichaam was één met het asfalt. Maar hoe moet je het zout der aarde worden als de aarde van gewapend beton is? Nog even, we naderen het doel.

7

Waarover had ik nou helemaal te klagen? Over kleinigheden: mijn huwelijk was weer eens op de klippen gelopen; ik was niet in staat om me over een vrouw te ontfermen; ik kwam steeds later thuis, zo laat dat het steeds vroeger werd; op mijn veertigste begon ik er genoeg van te krijgen om me altijd te gedragen als hetzelfde onvolwassen jongetje, met alle idiote scènes en slaande deuren die daarbij hoorden. Mijn liefdesleven volgde altijd dezelfde cyclus: ik ging naar een feestje, ontmoette een prachtige, buitengewone, krankzinnigmakende vrouw, ik verklaarde haar net zo lang de liefde totdat ze verliefd op me werd, dan gingen we samenwonen en mocht ik niet meer uitgaan en werd ik verrot gescholden door een paranoïde hysterica die aan de lopende band antidepressiva en slaapmiddelen naar binnen gooide. En dan begon de cyclus weer opnieuw: ik begon steeds minder te liegen, ik ging naar een feestje, ik ontmoette een andere prachtige, buitengewone, krankzinnigmakende vrouw, die ik op haar beurt ook weer veranderde in een agressieve harpij, een bezitterige heks, een gemene adder. Ongelooflijk, die gave van mij om de leukste vrouwen lelijk te maken; een weergaloos talent. Op een avond had mijn vrouw tegen me gezegd: 'Je bent zo'n slechte minnaar dat ik aan mijn vibrator moet denken om klaar te komen!' Niet lachen, starets, het is niet leuk om zoiets te horen. Toen ik haar vroeg hoe het kon dat ze *Een stervend dier* van Philip Roth een mooi boek vond en tegelijkertijd mijn zakken doorzocht op kapotjes, gaf ze het intelligente antwoord: 'Ik mag Philip Roth graag lezen, maar ik zou nooit met hem trouwen!' Dus niet alleen was ik niet vrij, maar ik moest ook mijn verlangen opofferen, mijn mannelijke libido onderdrukken dat genetisch geprogrammeerd is om zo veel mogelijk veroveringen te maken, mijn mannelijkheid onderdrukken – kortom: het dier dat ik was doden. Maar daarnaast was ik ook nog eens een serial heartbreaker die gevoelige vrouwen kapotmaakte, en mijn appartement begon steeds meer op een dependance van Guantanamo Bay te lijken. Kunnen wij mannen er wat aan doen dat uw Schepper ons lichaam heeft gemaakt zoals het is? Waarom zouden wij ons continu moeten rechtvaardigen voor hoe we zijn? Waarom vragen onze echtgenotes ons iedere dag om zelfmoord te plegen? Waarom heeft geen enkele echtgenoot de moed om zijn vrouw simpelweg de waarheid te vertellen? 'Liefje, ik zal altijd van je houden, je bent echt voor mij gemaakt, maar ik wil ook met andere vrouwen naar bed. Dat kun je niet verdragen, maar eigenlijk ben jij niet te verdragen: je probeert de essentie van mijn mannelijkheid te bestrijden. Zo erg is het toch niet als ik met andere vrouwen slaap, als je maar niet naar details vraagt en mijn e-mails niet leest. Jij mag hetzelfde doen, ik verbied je niets, integendeel: het windt me op om te weten dat je door andere mannen wordt begeerd, want zoals alle mannen ben ik een stiekeme nicht. Die jaloezie van jou is zo ouderwets dat jij in je eentje het bewijs bent van de mislukking van de seksuele revolutie. Je wilt profiteren van de verworvenheden van de feministische golf, maar je wilt ook dat het ouderwetse echtpaar in ere wordt hersteld. Je houdt niet van me: je wilt me bezitten, en dat is niet hetzelfde. Als je van me zou houden, zoals je zegt, zou je willen dat ik altijd genoot, met of zonder jou, en jou wens ik hetzelfde toe, met of zonder mij. Om deze idiote reden, die desondanks extreem belangrijk is – zoals mijn beslissing laat zien – zie ik me genoodzaakt bij je weg te gaan: ik heb er behoefte aan om andere lichamen dan het jouwe te strelen, om er zo zeker van te zijn dat het jouwe mij het liefst is. Vaarwel, draak van mijn leven, die niet in staat is om te begrijpen wat een echtgenoot inhoudt. Ik raad je zelfmoord of damesliefde aan als oplossing voor je onwetendheid over de grondbeginselen van de mannelijkheid. Bekijk me nog maar eens goed: je zult me nooit meer zien. Je wilde me bezitten, en daarom heb je me verloren.' Op een ochtend had ik een brief van Tsjechov voorgelezen aan mijn psychiater op de avenue de la Grande-Armée (een zeer logisch adres, aangezien ik de vrouwen de oorlog had verklaard): 'Geluk dat van dag tot dag voortduurt, van de ene ochtend tot de volgende, zou ik niet kunnen verdragen. Ik beloof dat ik een uitmuntende echtgenoot zal zijn, maar geef me wel een vrouw die, zoals de maan, niet dagelijks aan mijn horizon verschijnt.' Na een uur à 120 euro besloot ik mijn monoloog met de vraag: 'Dus, dokter: ik ga iedere avond stappen om ieder meisje te versieren dat niet al bij me woont. Dus ben ik een normale man, dus ben ik niet ziek, of wel soms?' Ze keek me rustig aan, sloeg haar agenda open en zei: 'We zullen elkaar vaker moeten zien.' Ik ben nooit bij haar teruggeweest: in plaats daarvan heb ik een T-shirt gekocht met de tekst: I'M MARRIED. PLEASE SHOOT ME.

8

Alles wat ik wilde (al wist ik dat nog niet) was om zo lang mogelijk bemoederd te worden. Vanaf de puberteit raakt je moeder je niet meer aan. Ze laat je los in het wild, en vanaf dat moment wordt je lichaam niet meer genoeg vastgehouden, gewiegd, fijngeknepen, betast, gelikt, gestreeld en gemasseerd. Één ding is zeker: zoals de maag behoefte heeft aan voedsel, zo heeft de menselijke huid vrij veel kussen per dag nodig, maar die krijgt hij alleen aan het begin van het leven (als hij geluk heeft); vanaf je dertiende of veertiende word je bijna niet meer geaaid. En door de antipedofiele paranoia is de situatie er nog een stuk erger op geworden: wie een puber durft aan te raken, loopt het risico om drie jaar lang in voorlopige hechtenis te worden genomen alvorens de rechter beslist of de jongere in kwestie geen ziekelijke fantast of getraumatiseerd is. Het Westen is verdoemd. Onze tweeduizend vierkante centimeter huid snakken naar vingers, ons epidermis heeft meer lippen nodig. Vandaar het succes van kuuroorden: mensen zijn bereid om fortuinen neer te leggen om een half uur lang te worden aangeraakt (want handen verdienen de voorkeur boven monden die er niet zijn). We zijn verslaafd aan smachten. We hebben een dosis verse, nieuwe lichamen nodig, de maatschappij heeft ons geformatteerd om gekust te willen worden als eeuwige verwende kinderen, egocentrisch en zonder geheugen. Wat mij betreft: ik schat mijn minimale dagelijkse rantsoen op ongeveer duizend kussen. Als mijn hals niet minstens duizend keer per dag door vochtige lippen wordt beroerd, ga ik er verschrikkelijk slecht uitzien. Kijk naar me: ik lijk de premier van Oekraïne wel! Het Onzevader moet worden aangepast: 'Geef ons heden onze dagelijkse kussen!'

Ja, kussen, liever zachte kussen dan harde liefde, o, vader, Russinnen met elkaar, ALS U EENS WIST VADER! Ik ben er altijd gek op geweest om meisjes met elkaar te zien tongzoenen, vooral als ze halskettingen dragen. Het is een prachtig gezicht, het verveelt nooit; u mist echt wat als u liever naar de hemel kijkt dan naar een meisje dat het bloesje van een ander meisje losknoopt en haar tepels hard maakt met een ijsblokje. Ik ben er gek op om ze als kronkelende ratelslangen om elkaar heen te zien buigen om elkaars beha los te maken. Ik geloof dat ik normaal ben. Céline zei: 'Ik ben altijd van mening geweest dat vrouwen mooi en lesbisch moeten zijn.' Hij had het over heel veel dingen bij het verkeerde eind, maar hierover niet. Ja, ik weet het, ik kan het, ik ga veranderen, een ander mens worden, met Gods hulp kan ik me ontdoen van de oude Octave die achter het gouden kalf aanrende, degene die hele balken van spiegels afsnoof om zichzelf beter te kunnen zien. Genoeg van meisjes in kleren van Valentino die kauwgum met kaneelsmaak kauwen op het jacht van Stalin (de Maxim Gorki), hun lichaam ingesmeerd met glanzende, geurige olie, ja, ik weet het, het kruisje dat tussen hun borsten bungelt is een symbool, genoeg van al die Novi Roeski die het hele jaar door dat duivelse gouden KALF AANBIDDEN, HELP ME VADER, rustig nu, waar was ik gebleven?

9

In mijn pogingen om vrij te blijven van alle mensen die ik liefhad, deed ik kennelijk niets anders dan mijn kindertijd naspe-
len. Al die aanstellerij, alleen maar om niet ouder te hoeven
worden! Een goed middel om jong te blijven is om een puber te
blijven. Daarvoor hoef je alleen maar te houden van vrouwen
die je niet hebt, en degenen die je wel hebt te verwaarlozen. Misschien was ik niet in staat om lief te hebben. Als je ergens niet
toe in staat bent, voel je je schuldig. Ik gebruikte drugs om de
emoties te voelen die ik zelf niet meer voelde. Maar kon ik er wat
aan doen dat ik op alle vrouwen viel? Tennessee Williams kletst
uit haar nek: begeerte is geen tramlijn, het is een smalle enkel,
de ronding van een heup of een hals met kippenvel, een halfgesloten ooglid, lendenen, een donzig, geprononceerd, schuin
sleutelbeen, de welving van een voet in een lakleren sandaal of
een bruiningsrand in een decolleté dat je dag kapot maakt. Ik
haatte mijn banaliteit, maar eigenlijk was ik bang voor vrouwen
en hun steeds groter wordende macht. Ik was bang dat ze me
door de vingers zouden glippen, of erger nog, dat ze me zouden
accepteren. Ik was bang voor mijn leugens. Ik was bang dat ze
die zouden geloven, of erger nog, dat ze die niet zouden geloven. Ik was bang dat ze van me zouden houden of niet van me
zouden houden. Ik wilde ze allemaal en ik haatte ze omdat ze
langsliepen zonder naar me om te kijken. Als ze ja zeiden wilde
ik weer van ze af, en als ze nee zeiden viel ik als een blok voor
ze. Vrouwen verstikten me zowel met hun aanwezigheid als met
hun afwezigheid. Misschien haatte ik ze wel. Vrouwen beschikten al duizenden jaren over goede redenen om mannen te haten.
Uit wraak voor eeuwenlange mannelijke dominantie wensten
ze ons niets dan kwaads, wilden ze ons africhten, temmen, ont-
kennen, isoleren. Eerst castreren ze ons en daarna klagen ze dat
we ze niet meer neuken! Ze schonken ons het leven en daarna

maakten ze het continu onmogelijk voor ons. Misschien was die haat van lieverlee wel wederzijds geworden: de mannen namen het de vrouwen kwalijk dat ze hun niets vergaven. Ik zei het al: het was oorlog. In de volgende oorlog zullen er geen landen of godsdiensten tegenover elkaar staan: het zal tussen mannen en vrouwen gaan, en de confrontatie zal heel wat gewelddadiger zijn. In de tussentijd zullen alle mannen eerst vrouwenhaters en daarna homo worden. Misschien was ik dat al, maar waarom wilde ik in dat geval aldoor bolvormige borsten en zijdeachtig haar strelen? Als niet zou je nooit met vrouwen naar bed moeten gaan. Ik geloof niet dat ik een stiekeme nicht ben, maar één ding is zeker: als ik met een vrouw was, keek ik naar andere vrouwen, en dat deed ze pijn; maar mij deed het ook pijn, en die pijn, die tweede, die van een man die zijn hartstocht, nieuwsgierigheid en verbazing moet inhouden, daarvoor heeft niemand respect. Het lijden van *De man die van vrouwen hield* van Truffaut is niet belachelijk; er zou rekening mee moeten worden gehouden. Niemand respecteert zulke onstilbare honger en verwondering ten overstaan van iedere nieuwe schoonheid. Don Juan is altijd een ellendig booswicht, een kwijlende lummel, een pathetische geilaard. De weerzinwekkende terugkeer van de moraal (in het bijzonder van de uiterst puriteinse moraal die wordt uitgedragen door 'de bladen', die vaak het enige leesvoer zijn van vrouwen tot vierentwintig jaar) wijst met het vingertje, beschuldigt en stigmatiseert de arme 'geërotiseerde' die zijn oog durft te laten vallen op een vrouw die niet de zijne is. Het is de meest ontkende en verguisde obsessie, maar het is wel de obsessie van alle grote dichters, schilders, schrijvers en filmmakers, van iedereen die verslaafd is aan extase en een blijvend eerbewijs wil brengen aan de geschenken van de hemel, vooral als die gekleed gaan in een doorzichtig hemd en een halsketting van in elkaar gedraaide namaakparelsnoeren.

Op zo'n nacht dat ik op het voorplein van de Sainte-Clotilde lag zonder me te kunnen bewegen, besloot ik om het aanbod van

Aristo aan te nemen en naar Moskou te vertrekken. Het plan was om de drugs te vervangen door schoonheid en het Sainte-Anneziekenhuis door het Rode Plein. Ja, da, uwe Heiligheid: uw land is me als de hemel op het hoofd gevallen.

IO

Ik ben niet gelovig en ik ben ook geen atheïst; ik ben nergens en ik wacht tot het meisjes gaat regenen. Te midden van de chaos van mijn leven scheen de godsdienst me toe als een mooie jeugdherinnering, een aangename regressie, een reddingboei. Ik besefte dat het hebben van een God net zoiets is als het hebben van een land, een grens, een huis, een vader. Je kunt je heerlijk verschuilen in godsdienst. Ik had al begrepen moeten hebben dat je niet zomaar alles tegelijk kunt wegstoppen – je geloof, je gezin, je land, je verleden. Geloven houdt je warm, het is troostender dan een wereldburger te zijn die van iedereen verstoken in een blizzard op het parkeerterrein van een megamarkt staat, tussen twee rijen lege boodschappenwagentjes, rondvliegende plastic zakken en een paar knetterende neonlichten die de woorden vormen: 'Kies goed, kies But'. En zo ben ik een veertiger geworden die 's nachts gaat bidden. Voor mij is bidden net zoiets als het kijken naar een oude film: wat is er troostender dan die automatische gebaren, die verouderde kostuums, die teksten die je uit het hoofd kent? De uit marmer gehakte kerk was tegelijkertijd een repère en een repaire voor me. Een herkenningspunt en een schuilplaats, vader Jerochpromandrit – maar aangezien u vloeiend Frans praat zult u deze kleine homonymie, die onmogelijk in het cyrillisch te vertalen is, wel begrijpen.

Intelligentie begint met het accepteren van de nietigheid van de mens. Sommige zinsneden uit de katholieke rite hielpen me om me beter te voelen. De orthodoxe catechese ken ik helaas minder goed, het spijt me dat ik het grote verschil niet kan ontwaren dat het duizendjarige Oosters Schisma rechtvaardigt. Ik weet dat uw rite meditatiever is, daarvoor hoef je alleen maar het aantal kaarsen om ons heen te tellen. U houdt van duistere iconen verlicht door een flakkerende vlam, en uw priesterschap bestaat uit het zingen van psalmen, zo mogelijk meerstemmig, met de ogen dicht, net als Zijne Heiligheid de patriarch Alexis II, die me, tussen ons gezegd en gezwegen, geen lachebekje lijkt. Nee, nee, maak u niet dik, u hebt gelijk, paus Benedictus XVI is ook niet de leukste thuis! Rooms-katholieken zeggen aldoor 'ontferm u over ons', niet zo'n vrolijk refrein, maar als je erover nadenkt wel een ontzettend heilzaam idee. Je bedenkt ergens een Schepper en daarna vraag je hem om zich over je te ontfermen. Een absurde manier van doen, maar o, wat doeltreffend! Als je naar buiten komt na een orgie met gehuurde meisjes en zelfs de slaapmiddelen die je onder het matras van je echtgenote vindt geen effect op je hersenschors meer hebben, is er niets gezonder dan je voor te stellen dat er een immanent iemand is die je gadeslaat, iemand aan wie je je excuses kan aanbieden, of hij nu bestaat of niet. Het doet goed om medelijden te wekken bij iemand anders dan jezelf. Ik ben ook gek op dat 'Verlos ons van het kwade'. Zo vreemd. De lui die die teksten hebben geschreven waren ongelooflijke genieën! Ze hebben de Universele Gratis Prozac bedacht. 'Leid ons niet in bekoring maar verlos ons van het kwade, amen.' Waanzinnige slogan! Tegenwoordig gaat het er in de wereld precies andersom aan toe: bijna iedereen met wie ik samenwerk wordt betaald om de rest de hele dag in bekoring te leiden. Dat is ons werk, we zijn verleiders. Bezoldigde verleidsmedewerkers! Strijders tegen de gemoedsrust. Gemoedsrust is de vijand van het kapitalisme: zielerust, stoïcijnse wijsheid en de afwezigheid van ijdele verlangens belemmeren de marktwerking. De wereld is in handen van een honderdtal chief executive officers wier enige doel het is om iedere vorm van gemoedsrust op deze planeet onmogelijk te maken. Op business schools overal ter wereld leren de beste studenten hoe ze ons aan verleiding moeten blootstellen. Wat consumptiemaatschappij wordt genoemd, zou beter verleidingsmaatschappij kunnen heten. 'Leid ons niet in bekoring' zou een motto kunnen zijn op een andersglobalistisch spandoek! Petje af voor degene die dat geschreven heeft. Waarom zijn gebeden altijd anoniem? We weten niet eens hoe die lui heten die het Onzevader en het Weesge-groet Maria hebben afgescheiden. Stelt u zich de auteursrechten eens voor die ze in al die jaren hadden kunnen opstrijken! God-delijke manna, ja, natuurlijk, charasjo, die teksten zijn van hem. Krijgt God geen percentage? U bent best grappig als u uw best doet. Inderdaad, het zou veel te duur worden, die royalty's.

II

Kort samengevat: ik ben veertig jaar oud, ik weet niet wie ik ben en ik ben niet meer wie ik was. De angst van de veertiger die zijn verjaardag nadert is de optelsom van die twee rampen: het is zoiets als wanneer je Baileys met tonic mengt of een Mentos in een fles cola light gooit. Het verlies van je identiteit en het verstrijken van de tijd veroorzaken samen een chemische reactie, een misselijkmakende samenklontering, een bruine geiser. IK WEET NIET WIE IK NIET MEER BEN. Sommige veertigers overleven het niet en hangen zich op, zoals mijn kameraad Thierry Le Vallois in februari 2006, of ze slikken pillen, zoals Guillaume Dustan in oktober 2005. 'Maar jongens, eigenlijk ben ik nog helemaal niet klaar om veertig te worden!' Kijk ze tandenknarsen, die middelbare maniakken: bij hun begrafenis wrijven hun vrienden zich de ogen uit en proberen te begrijpen wat de zin van de daad was en wat ze hadden kunnen doen om de drenkeling te redden. Het is nutteloos om naar zin te zoeken als die er niet is: niet weten wie je niet geweest bent is meer dan genoeg om een zelfmoordenaar te worden. Hoe duizelingwekkend de dood is voel je pas wanneer je op je mobieltje op 'wissen' drukt bij de naam van een vriend.

Gaat u mee naar Sint-Petersburg, om de toekomstige covergirls van *Muteen* op blote voeten over het linoleum te zien lopen? Kom, ik nodig u uit op de scharminkeltjesmarkt. Er zullen meer dan genoeg mensen te zegenen zijn en zielen die gered moeten worden – genoeg te doen voor een pope die vooruit wil komen! Ja, ik begrijp wat u bedoelt, een concours van minderjarige missen is niet de meest geschikte plek voor theologische meditatie. Jammer, ik had u graag een plaats in de jury gegeven. Een orthodox jurylid bij het Aristo Style Contest, genoeg om de knipselmap drie keer zo dik te maken. Jammer voor de kandidaten, nu worden ze niet beoordeeld door de speciale afgezant van God! Beloof me dan in ieder geval dat u tijdens mijn afwezigheid zult bidden voor hun welzijn. Ik weet niet hoe het u lukt om mijn uitnodiging te weerstaan; u hebt een kracht die ik niet heb. Hoe kun je in de Verleidingsmaatschappij leven zonder ooit te zwichten? Als iemand op een dag zou besluiten dat iedereen depressief en gefrustreerd moest worden, dan had deze tijd daarvoor de best mogelijke methode uitgevonden en hem ook nog in praktijk gebracht. Begrijp me goed, vader; ik ben het zat dat iedereen me continu zegt dat ik me moet verontschuldigen voor het feit dat ik een jongetje ben. Ik heb er genoeg van dat het me niet lukt om u te zijn.

Oké, dobri vjetsjer, ik heb ook koppijn, ik begin ook draaierig te worden, ik zit ook te knikkebollen. Ik heb dorst, ik ga u verlaten, u hebt nog meer kwezels te geselen. Maar ik beloof dat ik u weer kom opzoeken zodra ik terug ben uit Sint-Peet. Uw kalmte heeft een reinigende uitwerking op me. Echt, het is alsof er voor het eerst van mijn leven iemand naar me luistert. In de Zima of de First, de clubs van de r&b-subcultuur, kan niemand me horen: de muziek bedekt al het geweeklaag. De meisjes deinen met hun hoofd op de maat in plaats van Victor Pelevin, Andrei Gelasimov en Vladimir Sorokin te lezen. Dat soort plekken zijn voor iets anders bedoeld: om te schreeuwen zonder dat iemand het hoort. Om te verdrinken in de samengeklonterde massa eenzaamheid. Ieder voor zich, het lawaai verhult je snikken, en in het donker ziet niemand je van pijn vertrokken gezicht. Natuurlijk ga ik vanavond uit, uw luisterend oor heeft een opwekkende uitwerking op mij! Weet u wat de letters 'r&b' voor de jeugd van Moskou betekenen? Nee, niet 'rhythm & blues', 'rich & beautiful'! Da svidanja, waarde redder, zo hoffelijk van oor! Davaj, charasjo en dobre! Die Russische woorden heb ik in de loop der tijd leren gebruiken, zonder dat ik precies weet wat ze betekenen, – oké, goed, we gaan, prima, ja, goed, hup – je kunt ze onderling verwisselen en je maakt contact, het heeft geen nut om de betekenis van woorden te achterhalen als ze de kloof tussen mensen daarvoor ook al kunnen dichten. Ik hoor het lawaai naderbij komen dat mijn stilstaande leven vult. Zoals Joyce zegt: 'Stilte, ballingschap en sluwheid.' Ik ben er nog niet, maar ik ga vooruit, ieder seizoen gaat het weer wat beter, dankzij u. Tot ciao, amen!

'Mijn echtgenoot was een handvol water, ik kon nooit grip op hem krijgen. Hij had geen enkele substantie; toen ik met hem samenleefde, was het alsof ik bij de onzichtbare man woonde. Octave druppelde altijd verder, als een lekkende kraan. En ik maar denken dat ik de loodgieter was. Zelfs op onze trouwdag was hij er met zijn hoofd niet bij, waar hij wel was weet ik niet. Waarschijnlijk zat hij de scheiding al te plannen. Ik weet niet waarom ik met hem getrouwd ben, het zal wel iets masochistisch zijn geweest. Ik denk wel dat we van elkaar hielden, al probeer ik dat nu te vergeten: al dat gedoe is allemaal veel te pijnlijk. Waarschijnlijk begeerde hij me en verwarde hij lust met liefde. Hij was heel hartstochtelijk, kwam voortdurend klaar, overal, razendsnel. Ik geloof dat hij nooit heeft geweten wat "houden van" betekent; hoeveel nieuwsgierigheid, menselijkheid en gulheid daarbij komt kijken (en dan niet alleen in de vorm van alimentatie). Ik dacht dat hij van me hield omdat hij dat voortdurend zei, maar alles wat hij wilde was dat ik financieel van hem afhankelijk was, hij wilde een slaaf van me maken, en aanvankelijk had ik daar geen problemen mee omdat ik dacht dat ik ook van hem hield, begrijpt u? Dat is een gevaarlijk gevoel: "verliefd op verliefdheid" zeggen ze wel, wat erop neerkomt dat je niet verliefd bent op een persoon maar op een toestand, een gebaar, een idee. De ergste perverselingen zijn degenen die denken dat ze zuiver zijn, maar de voorkeur geven aan het idee van een gevoel dan aan een menselijk wezen. Die liefde, die zo puberaal en mooi is als in de film, leidt alleen tot pijn en teleurstelling, die komt niemand te boven. Twee weken, een maand, drie maanden lang is het schitterend, maar het ontwaken is afschuwelijk. Het ergste is dat miljoenen mensen door zulke rozenwateresthetiek worden bedwelmd, en zelf moet ik er ook zijn ingetrapt, hoe had ik anders voor zijn kletspraatjes kunnen vallen? (...) Ook als we de liefde bedreven, was hij er niet bij. Dan dacht hij vast aan een van zijn

*maîtresses. Hij heeft me verzekerd dat hij aan mij dacht als hij bij
een maîtresse was! Het was een unieke ervaring om met zo'n schizo-
freen het bed te delen: op den duur ging ik tijdens de seks ook aan
andere mannen denken, zodat niemand in ons bed nog dacht aan
waar hij mee bezig was. Hij heeft me de echtelijke onverschilligheid aangeleerd, het gevoelloze leven. Ik haat hem niet eens meer,
maar ik mis hem ook niet: eerlijk gezegd kan ik me hem nauwelijks
herinneren. Met Octave leven betekende: naast hem leven. "In zijn
schaduw" wilde ik zeggen, maar dat klopt niet: hij had geen schaduw, want hij was doorzichtig. Het was geen menselijk wezen: hij
was een onvleselijke humanoïde, een vagelijk mensachtige gestalte,
een uitwonende. Je bracht je tijd door met wachten, proberen zijn
aandacht te trekken, maar nee hoor, die vent glipte steeds tussen je
vingers door, als zeep, maar dan zeep waar je vies van wordt. Ik
leefde in een continue staat van frustratie: hij had geen respect voor
vrouwen en al helemaal niet voor zijn eigen vrouw; het zal wel iets
uit zijn kindertijd zijn. Hij is grootgebracht door een alleenstaande
moeder, en daarom verafgoodde hij vrouwen, maar hij beschouwde
ze ook als beulen, bullebakken, kapo's, stuk voor stuk. Ik heb hem
dikwijls gezegd: "Je denkt dat je op zoek bent naar je vader, maar
dat is niet zo, je bent op de vlucht voor je moeder, arme sukkel!" Als
ik dat zei werd hij woedend, maar later bekende hij me dat het het
meest intelligente was dat een vrouw ooit tegen hem gezegd had.
Paradoxaal genoeg heeft de toename van het aantal alleenstaande
moeders het beeld van de vrouw heel veel kwaad gedaan: voor het
nageslacht is een vrouw synoniem geworden met Gezag waar je je
naar moet schikken, dat is tegelijkertijd een onbereikbare norm en
een ballenbrekende gevangenschap. En natuurlijk kan geen enkele
vrouw ooit tippen aan de eerste vrouw in hun leven. Een Franse
schrijver van Russische origine heeft dat complex "de belofte van
de dageraad" genoemd. Maar toen Romain Gary zijn kindertijd
beschreef, was hij origineel, ontroerend en poëtisch; tegenwoordig
is het eerder regel dan uitzondering dat je door een alleenstaande moeder wordt grootgebracht. Dat heeft mannen gecreëerd die
doodsbang zijn voor eenzaamheid. Ze gaan liever met de eerste*

de beste vrouw in een gemeubileerd driekamerappartement hokken dan dat ze 's ochtends alleen wakker moeten worden. En zodra ze samenwonen, verwijten ze de vrouw in kwestie dat ze hun vrijheid afneemt. Zulke mannen die niet in staat zijn om volwassen te worden zijn de collateral damage *van de seksuele bevrijding. Wat moet je met zulke mensen die niet alleen kunnen leven en ook niet met iemand anders? Het zijn potentiële* human bombs. *Terrorisme, massamoorden en seriemoordenaars zijn zonder twijfel een indirect gevolg van de evolutie van de westerse mannelijkheid. Ook ik ben opgevoed door een alleenstaande vrouw, ik weet over wat voor rampzaligs ik het heb. Het is heel vreemd om groot te worden met een alleenstaande volwassene als rolmodel; dochters hebben de neiging om de eenzaamheid van hun moeder voor een normaal leven aan te zien, ze raken eraan gewend en later kunnen ze niemand om zich heen verdragen. Voor een jongen is het nog moeilijker: opgroeien zonder man in huis veroordeelt ze tot een leven waarin ze nooit te weten komen wie ze zijn of wat ze willen, behalve dan onophoudelijk vrouwen te veroveren die ze vervolgens niet kunnen uitstaan. Nicolas Sarkozy is opgevoed door een alleenstaande moeder die gedumpt was door een playboy: zie het resultaat! Octave is een perverseling geworden omdat hij zich in zijn prilste jeugd te veel met zijn moeder heeft vereenzelvigd. Hij heeft een onverwerkt oedipuscomplex, hij is doodsbang voor de dood: "Ik moet ze allemaal verleiden, anders zal ik eenzaam en verlaten sterven." Hoe noem je een verwend kind dat volwassen is geworden? Een verwende volwassene. (...) Die Lena ken ik niet, nou, ik heb natuurlijk wel over haar gehoord, net als iedereen, in de krant, na het drama, dat is toch die Tsjetsjeense aan wie de priester hem had voorgesteld? Ik denk dat hij na mij een jong ding zocht dat niet moeilijk deed, die arme kerel ... Ik heb zijn leven vergald, soms neem ik het mezelf heel erg kwalijk, maar dat is onterecht: hij was de weirdo, ik niet! Ik weet niet hoe mijn getuigenis u in deze zaak van nut kan zijn. Ik wil graag meewerken, ik probeer de vragen op uw lijst een voor een te beantwoorden, maar dat is niet gemakkelijk, ik ben bang dat het te laat is en dat het oprakelen van ons*

mislukte huwelijk u weinig kan vertellen over internationale ter-
rorismenetwerken! (…) Nee, ik weet niet of hij handlangers had,
na de scheiding hebben we alle contact verloren. Ik neem aan dat
het technisch nogal gecompliceerd is om zo'n operatie in je eentje op
touw te zetten. Nee, hij heeft nooit iets verteld over zijn banden
met de Russische industriële wereld of de Tsjetsjeense onafhanke-
lijkheidsbeweging, en ik zou u willen vragen om mij niet bij deze
zaak te betrekken, noemt u alstublieft mijn naam niet, ik hecht
aan het leven! (…) Ik heb geluk dat ik die psychopaat heb overleefd.
Excuseer, dat bedoel ik in verband met de recente gebeurtenissen …
dat was een beetje onhandig geformuleerd. Ik heb meer geluk dan
anderen. Ik wist dat hij naar Moskou verhuisd was, om hoertjes te
neuken dacht ik, maar dat hij zo diep zou zinken dat hij zich tot
geweld zou verlagen had ik nooit verwacht. Zoals alle sadisten was
hij heel kleinzerig, hij zat altijd op te scheppen over zijn lichame-
lijke lafheid. Ik had niet gedacht dat hij in staat was om iemand
pijn te doen, behalve mij. Ik leef oprecht mee met de nabestaanden
van de slachtoffers, ik voel me verantwoordelijk, als ik had geweten
dat hij zo'n catastrofe zou veroorzaken … Hij zei altijd dat hij gek
was, maar ik geloofde hem niet. Ik snapte niet hoe iemand die niet
bestond gek zou kunnen zijn.'

(Fragmenten uit de brief van de voormalige echtgenote van de verdachte aan de agenten van de Oebop – de instantie die zich bezig-
houdt met de bestrijding van de georganiseerde misdaad – toegevoegd
aan het dossier van de zaak van de Christus-Verlosserkathedraal.)

DERDE DEEL

ZOMER

(LETO)

'Damesvoetjes vind ik mooi.
Hoewel … het lijkt me twijfelachtig
of Rusland drie paar mooie biedt!
Maar ach! één paartje kan ik niet
vergeten! – Nee, verkild, neerslachtig,
herinner ik ze mij … en smart
vervult zelfs als ik slaap mijn hart.'

ALEXANDER POESJKIN,
Jevgeni Onegin, 1833.

I

De lente duurde een week, de sneeuw verdween en het werd plotseling te heet; het principe van zomer is overal hetzelfde. De casino's lichtten op aan de natte boulevards, enorme digitale reclameschermen flikkerden tussen twee oude kerken die op wonderbaarlijke wijze de twintigste eeuw hadden overleefd. De zon kwam eerder op. De herfst is voornamelijk een wachttijd totdat het weer wit wordt. Het station in Moskou vanwaar je naar Sint-Petersburg vertrekt heet nog altijd Leningrad (ik begrijp de Russen wel: jullie kunnen niet iedere keer als jullie weer eens van totalitair systeem veranderen alle stationsbordjes vervangen). Als het een beetje meezit, wordt Sint-Petersburg (dat vroeger Petrograd heette) binnenkort toch omgedoopt tot Poetingrad, en dan hoeven jullie minder letters op de gevel aan het Komsomolskajaplein te vervangen. 's Nachts stopte de trein geregeld: iedere keer als hij een beer, wolf of boer met een muts van astrakan had aangereden. Bij aankomst verkochten oude vrouwen aan het einde van het perron handschoenen, bloemen, sokken, augurken, jam en katten. Ik bedacht dat de jonge vrouwen verder weg zouden zijn en dat was een juiste gedachte: de jonge vrouwen zijn altijd verder weg.

Dobri djeen, vader. Ik heb een potje foie gras voor u meegenomen: proeft u mij dat wonder eens aan! Ik laat de lekkerste producten uit de Béarn per FedEx overkomen. Niet dat ik heimwee heb naar mijn geboortestreek in de Pyreneeën, maar ik heb mijn buik vol van rode kaviaar. Ik kan dat veel te zoute eten van jullie niet meer uitstaan. In Rusland heb je voortdurend dorst omdat je continu, bij iedere maaltijd, visseneieren, haring, paling en gerookte heilbot naar binnen werkt. Die zakoeski maken alcoholisten van jullie allemaal! Bij ons in Pau is het anders: we gieten wijn over onze wonden en mesten de eenden vet totdat hun lever implodeert in onze strot. Daarna verdrinken we onze organen in armagnac en vallen we op tafel in slaap, met onze neus in de resten ganzenvet of tussen de tieten van een oud wijf, maar dat komt op hetzelfde neer.

Het doet mij genoegen om u zo gezond te treffen. Vorige maand leek u nogal uitgeblust: u leek op de laatste foto's van graaf Tolstoj, uit 1910, toen hij bij zijn vrouw was weggegaan om te sterven op het station van Astapovo. Vandaag fonkelt uw witte baard op uw zwarte soutane, batjoesjka: u lijkt wel een chocolat liégeois. Uw lange, lichtgevende baard is mijn baken in de nacht. Uw baard zij geloofd! Als ik zo vrij mag zijn: het is misschien verstandig om hem af en toe eens te wassen, want hij stinkt even hard als mijn ziel. Ik heb het nog niet met u over Lena Dojtsjeva gehad. Ik heb het al twee maanden met niemand over Lena Dojtsjeva gehad. Ik zou het dolgraag nog langer niet over Lena Dojtsjeva willen hebben. Ik weet niet of ik u moet bedanken omdat u mij aan de onverdraaglijk stralende Lena Dojtsjeva hebt voorgesteld, monseigneur. Maar als ik het met u over haar wil hebben, moet ik de gebeurtenissen in de juiste volgorde zetten: mijn aankomst, in de onzekere bleekheid van de Petersburgse lente, de ontmoeting in de Caviar Bar van Hotel Europe, waar het vroeger stikte van de KGB-spionnen en waar het nu barst van de agenten in burger (kan iemand me het verschil uitleggen?), de sublieme dagen die volgden en de avond in de datsja van de oligarch. Daar ben ik bezweken voor de infante Lena Dojtsjeva, haar giftige gratie, haar albasten hals en het aplomb van haar veertien jaren. Het is allemaal uw schuld, vader. Neemt u nog een hap foie gras terwijl ik u over mijn ondergang vertel. We hebben dan wel geen warme brioches met rozijnen, maar het is toch een traktatie, de lever van een arme eend uit Pau. Hij is halfgaar, net als de inwoners van mijn geboortestad. Het is geen zonde om te genieten van de weldaden die de Allerhoogste ons vergunt. Ik mag u graag horen kauwen; het regelmatige geluid van uw kaken stelt me in staat om me te concentreren. Op uw baard na doet u me denken aan mijn Texaanse grootmoeder in de tuin van de Villa Navarre aan de avenue Trespoey, kort voordat ze kanker kreeg. Die piekerde net zo veel als u, gewiegd door het geklots van het zwembad aan de andere kant van de rozentakken en het gerinkel van de ijsblokjes in haar kristallen glas. Dacht ze aan de verwoeste kindertijd van haar zoon (mijn vader) die in het internaat van de paters van Sorèze opgesloten had gezeten? Misschien miste ze hem wel, hij was per slot haar tweede zoon. Misschien had ze zelfs een hart, wie zal het zeggen? Mijn vader werd van 1948 tot 1955 naar een internaat gestuurd, en aan het begin van de jaren zestig was hij opeens getrouwd en had hij twee kinderen: kun je van een man eisen dat hij nooit vrij is? Zijn kindertijd was niet vrij genoeg, de mijne veel te vrij. Toch ga ik met de jaren steeds meer op hem lijken, vooral omdat we hetzelfde werk doen (hij was headhunter, ik modellenjager). Sorèze is een oeroud benedictijnenklooster gelegen aan de voet van de Montagne Noire, op een moerassige plek bij de bedding van de Sor (voor u die nog nooit een voet in die streek hebt gezet: het ligt ergens weggestopt tussen Toulouse en Carcassonne). In de jaren vijftig was de discipline van de dominicaanse paters erg strikt. Kinderen van tien werden 's nachts opgesloten in een cel van twee bij anderhalve meter, met een metalen slot aan de buitenkant. (Na hun twaalfde werd het er nauwelijks beter op: dan deelden ze slaapzalen vol voetengeur, het geluid van ruksessies, lullen met tandpasta en een min of meer permanente ontgroening.) 's Ochtends werden de kinderen om half zes met klokgelui gewekt. Dan werd de vlag gehesen, moesten ze in hun gesteven uniform op appèl in de ijskou. Om zeven uur begon de mis. Ze liepen er in rotten van twee naartoe. Vervolgens werd er tot acht uur 's avonds gestudeerd. Het licht in de slaapzalen ging om half tien uit. De kinderen werden 's nachts dikwijls wakker van de kou en de honger. 's Winters verwarmden de kinderen bakstenen in een kolenkachel om ze als beddenpan te gebruiken. Voor ongehoorzame leerlingen bestond er een bestraffing die 'sekwestratie' werd genoemd: het kind werd in een ijskoude kerker gegooid met een openstaand raam dat buiten zijn bereik lag en een tafel die aan de muur was verankerd; een dag lang kreeg je alleen droog brood en water en moest je bladzijden overschrijven in een schrift. Soms kwamen de oudste leerlingen in opstand: op een dag brachten ze een koe en wat varkens over de trap naar de eerste verdieping, naar de slaapzaal van de opzichters. Een legende vertelt ook dat een paar leerlingen een mummie uit de kapel van Sorèze hadden gestolen (oorlogsbuit die Napoleon van de Egyptische veldtocht had meegenomen) en hem in het bed van een bijzonder strenge pater hadden gelegd. De schooldirecteur vond regelmatig een drol in zijn werkkamer. Dan werd er collectief gestraft: leerlingen die geen bekentenis aflegden, maakten vijanden onder hun eigen slaapzaalgenoten. De afstraffingen konden ontaarden in verkrachtingen waarbij diverse objecten (pennen, linialen, krijtjes) anaal werden ingebracht. De kostschool van Sorèze sloot pas in 1991 – hetzelfde jaar als de laatste goelag! Ik vertel u dit omdat er kennelijk een direct verband bestaat tussen de opvoeding van onze ouders en onze huidige waanzin: wij moeten hun gemis goedmaken. Je erft niet alleen een achternaam en een paar centen, maar ook neuroses, ontberingen, onbehandelde depressies, onverwerkte frustraties. Zoals toen de Russen vijftien jaar geleden na Gorbatsjov moesten doen alsof die miljoenen doden nog in leven waren. We hebben allemaal een privégoelag, een onrecht dat diep in ons zit weggestopt en dat we nooit zullen kunnen verteren. We zijn allemaal Russen met geheugenverlies. Trouwens, wat mijn familiehuis betreft: het was daar, in de Villa Navarre, dat Paul-Jean Toulet op 29 oktober 1901 schreef: 'Denkt u niet dat wat ik op deze wereld het meest heb liefgehad vrouwen, alcohol en landschappen zijn?' Ik ben dol op dat winnende drietal. Voertuigen om bij jezelf weg te gaan.

Sta toe dat ik mijn leven wijd
Aan die Touletaanse Drie-eenheid
Wat staat de wanhoop van mijn pa
Mijn eigen wanhoop na!

2

Uit Pau herinner ik me ook dat Gabriel Marcel thee dronk in de bibliotheek van mijn grootvader, met de Brandenburgse concerten op de achtergrond. Een oude, wijze man met witte haren die mijn vader ertoe bracht om te fluisteren: 'Octave! Je mag de Meneer niet storen! Hij is een groot filosoof, hij was een goede bekende van Henri Bergson en hij denkt na over het Da Sein …' Ik was zeven en ik bespiedde zijn kleinste bewegingen en gebaren om erachter te komen wat dat Da Sein dan wel niet mocht wezen (lange tijd dacht ik dat het een Russisch liedje was, zoiets als 'kalin kakalin kamaja'). Met zijn dikke, witte snor leek Gabriel Marcel op een norsere uitvoering van maarschalk Pétain, maar boven zijn snor fonkelden twee vriendelijke ogen. Ik rende in mijn korte broek met bretels door de tuin met mijn neefje en nichtje Edouard en Géraldine, en hij bekeek ons met een geamuseerde glimlach, alsof hij een vergeelde foto bekeek. Nu begrijp ik hem beter: in ons kind-zijn zag hij de dood, hij was onze Aschenbach en wij waren kleine Tadzio's met bearnaisesaus. Als ik nu aan dat moment terugdenk, voel ik dezelfde nostalgie die hij toen voelde. Later hoorde ik dat hij zich op zijn veertigste heeft laten dopen. Mijn grootvader ontving graag schrijvers in zijn mooie huis: Jean Cocteau, René Benjamin … Hun bezoek werd lang van te voren aangekondigd, het was de gebeurtenis van de week. Hij liet ze de brieven zien die Paul-Jean Toulet hem eigenhandig had geschreven. Het lijdt geen twijfel dat hij hun gezelschap boven dat van zijn zoons verkoos: zijn bibliotheek moet me de zin in schrijven hebben gegeven. Tegenwoordig is de Villa Navarre een hotel, als u wilt kunt u overnachten in de kamer van Gabriel Marcel, met uitzicht op de massieve blauwe berg, omlijst door cipressen, haagbeuken, Amerikaanse tulpenbomen en reuzensequoia's.

Ik verveelde me te pletter in die provinciaalse stilte, hoe komt het dan dat ik er tegenwoordig zo'n zoete heimwee naar voel? Na een dag verstoppertje spelen in het bos van Irati dineerden we in de kapel die nu een bar is (alle kerken eindigen als discotheek, kijk maar naar de Limelight in New York en in Londen (misschien wordt uw kathedraal op een dag ook wel een ... wie zal het zeggen?). Oude intellectuelen die de lucht van de Pyreneeën met een scheef lachje opsnuiven, Amerikaanse vrouwen die hun Spaanse kokkin uitschelden, kinderen op kostschool, muren vol boeken, en voor het bordes de chauffeur die de motorkap van de Daimler oppoetst: dat is mijn *Vert paradis*, ik voel dat de sleutel tot mijn waanzin ergens in dat Brits aandoende landhuis verstopt ligt. Wist u dat dat huis heeft toebehoord aan Madeleine de Montebello, wier echtgenoot Gustave ambassadeur was in Sint-Petersburg? Tijdens zijn ambtsperiode is de Frans-Russische alliantie van 1893 getekend. U ziet, vader, dat de villa van mijn kinderzomers niet ver van uw Rusland vandaan ligt. Van Béarn naar de Neva is het maar één stap ... Mijn Rosebud is een Utopie in de betekenis van Thomas More: een denkbeeldig land. Het is ook een nachtmerrie die me achtervolgt. Toen ik heel klein was, zei mijn vader altijd: 'Als je buikpijn hebt, moet je het meteen zeggen', want hij dacht aan een vriend op kostschool die niet tegen de paters van Sorèze durfde te klagen over zijn buikklachten. Een paar dagen later werd hij dood op de ijskoude slaapzaal gevonden, gestorven aan een inwendige bloeding. Waarom begin ik daar nu over? Het is wonderlijk hoe het geheugen het afval scheidt – zou het een voorstander van recycling zijn? Nabokov zegt dat 'fantasie een vorm van geheugen is'. Stel dat mijn verhaal verzonnen is, dan is het dus een manier om mijn herinneringen te verdraaien?

Het geheugen is dus milieubewust, maar dan snap ik helemaal niet waarom het weigert het gezicht van Lena Dojtsjeva uit te wissen. Lena bevuilt niemand (hoewel ... ik had maar al te graag ...). Ik moet zeggen dat ik begrijp dat je een ongeneeslijke versierder wordt als je je kindertijd achter de tralies hebt doorgebracht. Het is vreemder dat je dat ook wordt als je de meest vrije kindertijd uit de geschiedenis van de wereld hebt gehad. Misschien ben ik daarom zo seksueel correct. Ik zou het liefst met een jong meisje willen trouwen dat doet of ze Tsjetsjeens is zodat ze zich op alle muren van de wereld tentoon kan stellen. Hoe harder ik me haar gezicht voor de geest probeer te halen, hoe meer het me ontglipt. Als ik me haar trekken wil herinneren, moet ik de foto's op mijn mobieltje bekijken. Kijk eens hoe ze dit fotootje laat oplichten, ziet u die nevelige aureool die een stralenkrans om haar lichtgevende schouders vormt? Misschien is dat het wel: ze is gewoon radioactief, ze is per slot niet zo ver van Tsjernobyl geboren. Ze doet me denken aan iets dat Gabriel Marcel heeft geschreven: 'Is iemand liefhebben niet hetzelfde als impliciet tegen haar te zeggen: jij zult niet sterven?' Sinds Adriana Lima, die Braziliaanse van Élite, op haar dertiende in een supermarkt in Bahia ontdekt werd door een scout van bureau Ford, is er niets meer geweest dat zo onbevlekt en sexy tegelijk was. Behalve de Heilige Maagd? Iezvinietje, vader, vergeef me, ik verval in godslastering, maar als u Lena zou hebben gezien, zou u nergens meer respect voor hebben, zelfs niet voor de donkere wolken boven het Danilovskiklooster. De hel is: van haar gescheiden te zijn nadat je haar pad hebt gekruist. Ik weet nu hoe je gelukkig moet zijn: Lena Dojtsjeva nooit ontmoet hebben. Ik weet dat alleen de dood me kan genezen, want Lena is onsterfelijk. 'Van iemand houden is altijd op haar vertrouwen.' Gabriel Marcel, met z'n stropdas op de veranda in Pau, definieert de liefde, en ik zie weer hoe ik als klein jongetje in een grijze, flanellen broek naar die oude man keek die het jaar daarop zou sterven (in 1973), die christen wiens *Journal métaphysique* ik dertig jaar later zou lezen, die door het park liep en mijn grootvader als wandelstok gebruikte, zonder te beseffen dat God een paar maanden later beslag zou leggen op zijn leven. Dus goed, ik zal eeuwen- en eeuwenlang op de kleine Lena vertrouwen, maar op één voorwaarde: dat ik aan haar voeten zelfmoord mag plegen.

3

Ik zou u moeten haten, Uwe Grootsheid ... Hoe wist u dat ze me
zo goed zou bevallen? Hemel, ben ik even dom! Er komen iedere
dag mannen bij u biechten, en u stuurt ze natuurlijk allemáál
naar Lena Dojtsjeva, als naar de slachtbank! Het verbaast me
niets. In mijn stompzinnigheid dacht ik dat ik het enige slachtoffer van haar verblindendheid was. Maar in uw ijskerk is die
fee waarschijnlijk een van de heetste onderwerpen van de biecht.
Hoeveel klanten krijgt u hier per week die haar vurige blondheid
beschrijven, haar ontluikende borsten en doorzichtige pupillen?
U moet uw celibaat natuurlijk compenseren: misschien is het
uw favoriete tijdsbesteding om het hele jaar door over Lena de
hartenverslindster te horen praten. Misschien stuurt u daarom
alle dwaalgeesten die op zoek zijn naar onschuld naar haar toe.
Wat moet het heerlijk zijn om je in behaard stilzwijgen te kunnen hullen en regelmatig het hoofd te buigen bij het aanhoren
van steeds dezelfde klaagzangen, allemaal opgewekt door hetzelfde, wrede kind. Het kerkelijke leven heeft een zekere weelde:
uw gelofte beschermt u tegen de demonen, maar uw oren stellen u in staat om er bij volmacht toch van te genieten. Wat een
prachtig vak hebt u! Ik benijd u uw kracht, want ik ben zwak.
Hoe dan ook, u weet best dat ik het u niet kwalijk kan nemen
dat u me naar Lena Dojtsjeva hebt geleid. En het biechtgeheim
beschermt ons allemaal tegen de politie.

De dag na mijn vorige bezoek heb ik direct haar moeder gebeld
en een kort bericht achtergelaten: 'Geachte mevrouw Dojtsjeva,
zegt u aan uw dochter Lena dat ze is opgeroepen voor de casting
van de Aristo Style of the Moment-wedstrijd in Hotel Europa
te Sint-Petersburg, op 23 mei om vijftien uur. Vader Jerochpromandrit van de Christus-Verlosserkathedraal heeft me uw nummer gegeven.' Toen vergat ik haar. Nu kan ik dat niet meer.

Toen ze de Caviar Bar binnenkwam vond ik haar banaal, onhandig, stuntelig, met naar binnen staande voeten, timide – onweerstaanbaar kortom. Een van mijn lievelingswoorden in het Engels is 'clumsy'. Lena is een wandelend oxymoron: haar lichaam is in tegenspraak met haar gezicht. Vreemd genoeg vond ik dat ze op me leek. Haar gezicht kwam me bekend voor, dat moest haar wilskrachtige kin zijn, die even geprononceerd is als de mijne. Ik heb er een hekel aan als ik meisjes voor het eerst ontmoet en het gevoel heb dat ik ze al ken, vooral als ik aardappels met ui, haring met ui en aubergine met ui heb gegeten. Toen ik haar zag, viel mijn mond open, toen deed ik hem weer dicht vanwege de geur. Verdorie, ik merk dat ik er niet over kan praten. Mijn bijvoeglijke naamwoorden zijn onbeholpen, ze trillen van emotie. Waar moet ik beginnen? Gratie heeft geen ruwe randjes. Behalve haar nagels misschien. De nagels die haar vingers bekroonden lagen als dauwdruppels aan het uiteinde van haar handen. Er was op gebeten, maar niet nerveus: er was op geknabbeld. Knokige polsen, breekbaar en grijsachtig beige: als lychees? Van de onderarmen tot de ellebogen was de enige onderbreking van die zijderoute een gladde armband van verzilverd metaal. Je voelde dat die armband te zwaar, bijna moeilijk te dragen was voor die o zo smalle pols. Haar konen verdienden iconen. Verschillende tinten bleekwit, helderroze en gepoederd beige vormden een kleurenblinde regenboog als ze je haar hand toestak, en dus haar arm, dus haar schouder, begrensd door een bandje van goedkope lingerie. De schouder als y-as, de beha was de x-as; de schoonheid van deze adorabele adolescente leek een grafiek op millimeterpapier. Kanten randjes verrieden het ondergoed van een braaf meisje dat in een ander bed heeft geslapen en zich gehaast heeft aangekleed om weer naar mama te gaan. Ze was een Venus van Milo met armen: kleine borsten maar zo hard als van een beeld, een marmeren boezem maar levende haren; dezelfde overhellende houding en dezelfde kleur van onsterfelijkheid, al werd haar lelieblankheid doorkruist door blauwe lijnen, geïrrigeerd door een rivierdelta van doorzichtige bloedvaten in haar hals. Onder een blonde pony lagen twee lome wenkbrauwboogjes boven het blauw van haar ogen, het wit van haar jukbeenderen en het rood van haar lippen. Haar gezicht bevatte de kleuren van de Franse vlag! Haar tanden waren zo fris als pasgeplukte amandelen. Ik vond het jammer dat er geen stukje peterselie aan haar voortand kleefde, dat zou me in staat hebben gesteld aan haar greep te ontsnappen. Het leek of ze niets anders dan rode grapefruits at, zo fris was haar teint. Door haar wilde je dieper gaan ademhalen, of lucht worden zodat je haar longen zou kunnen vullen en weer naar buiten zou komen als koolzuurgas, of langs de zon vliegen, niet als een meeuw, maar als een mens die plotseling kon vliegen, uit liefde, door heel hard met zijn armen te wapperen. Haar haar was zo geel als de kroonluchter waaronder ik zat te smachten. Haar wangen, rozig van de wind van de Nevski Prospekt, gaven haar het uiterlijk van een stralend kind met een babymondje en het gestel van een boerenmeisje dat net een middagslaapje heeft gehouden in een hooiberg, al dan niet met een stalknecht. Lena was als koning Midas: als je naar haar keek werd alles van goud: het uur van de dag, haar hals, haar benen en haar piepkleine voetjes, schuin op goedkope sandaaltjes, alles, de lucht om haar heen, zelfs haar tong veranderde in goud als je hem zag. Bij haar aanblik voelde je je vergankelijk, vluchtig, oud, ontroostbaar. Wilde je een bruistabletje worden en oplossen in een glas water dat zij zou drinken als ze migraine had: deel uitmaken van de bubbels die haar tong kietelden en haar vervolgens van haar hoofdpijn afhelpen. Wilde je haar driehonderd jaar lang zien slapen, in de wetenschap dat die aanblik nooit zou gaan vervelen. Haar stralende ogen waren zo licht dat je haar blik onmogelijk kon vangen. Toch konden die ogen door iedere blik heendringen. Ieder pantser doorboren. Het was onmogelijk te zeggen of ze het volgende moment in lachen of huilen ging uitbarsten. Haar mond was een vlinder die honing verzamelde tussen haar neus en haar kin. U zult zeggen dat vlinders geen honing verzamelen, dat alleen bijen dat doen. En dan zeg ik: hou uw mond, onderpatriarch, het is duidelijk dat u haar niet kent, want in het geval van Lena zoeken vlinders wel degelijk honing, en brullen de lammetjes, loeien de adelaars, kraaien de brandnetels – zo simpel is het. Haar hals, omgord door een ouderwetse halsdoek, was een twijgje dat Stendhal door de rijp had willen wentelen om er een kristallen collier omheen te maken. Haar oren: twee zoenentrekkers waaraan welverdiende pareltjes hingen. Door het mousseline kon je haar zachte harde borsten raden, haar harde zachte borsten (kortom: haar hachte borsten), haar ontluikende, bonzende, groeiende borsten in het mouwloze jurkje. Lena was zo terughoudend als een kat die op zijn hoede is voor nieuwkomers, maar ze was zich al wel bewust van haar macht, hoewel ze nog niet de tijd had gehad om er misbruik van te maken. Naar haar kijken was de heerlijkst denkbare bezigheid; Lena zien was een drug, maar vooral een marteling omdat je de gedachte aan het verdriet van de uiteindelijke scheiding niet kon onderdrukken. Je miste haar nu al; ze was een uiterst kostbaar juweel dat binnenkort gestolen zou worden. Ik zei aldoor tegen mezelf: 'Zeg, je hebt er toch wel meer gezien? Je valt toch niet voor een blondje van veertien? Dat is gewoon pathetisch! De kop erbij, jongen!' Maar hoe vaker je dat soort dingen tegen jezelf zegt, hoe harder je voor de bijl gaat. Coué's methode van zelfsuggestie is zinloos bij acute verliefdheid. Was ik vanwege haar kin verblind door narcisme? Zocht ik mezelf als ik haar bestudeerde? Iedere poging om een wonder te ontcijferen is zinloos. Als ik Narcissus was geweest, had ik tenminste in haar kunnen verdrinken … Lena heeft me geleerd dat als je zegt 'ik geloof dat ik gek word', het meestal al te laat is.

Het idee dat ik vroeger of later, over een paar minuten of over een paar uur, naar iets anders zou moeten kijken, met iemand anders zou moeten praten, terug zou moeten keren naar het leven van alledag, het leven van vijf minuten geleden, het leven van vóór haar, het leven zonder Lena Dojtsjeva, was onverdraaglijk. Lena is een droom waaruit je niet wil ontwaken. Maar dat wist u allemaal al, nietwaar, boosaardige hiëronymiet? U wist al dat mijn zoektocht ten einde was. U wist dat ik het gevaar liep om weer levend te worden.

Het vervelende aan een wederopstanding is dat je er eerst voor moet sterven.

4

Toch heb ik dikwijls schone Russinnen weerstaan. Ik wist hoe ik me moest beschermen, in alle betekenissen van het woord: ik droeg een mentaal voorbehoedmiddel. Ik raakte ze niet altijd aan: ik vroeg ze om voor me te poseren, gebogen, gespannen, pijnlijk, sensueel, en hielp me discreet aan mijn gerief, alsof ik naar een botergeile foto keek. Penetratie verveelde me: je moet een uur van tevoren een Cialis slikken, schone oksels hebben (of je zelfs tussen je tepels waxen), een rubber omdoen dat geen enkel gevoel doorlaat (nog los van het rubber dat je om je hart draagt), kreunend doorstoten alsof je aan het joggen bent en aan het eind een passend rauw gegrom uitstoten. Met uw gelofte van kuisheid mist u niet veel, vader, sorry dat ik daar maar over blijf doorgaan. Lichamelijke liefde geeft je het gevoel dat je een examen moet afleggen, of push-ups doet. Ik leek op iedere andere man die twee mislukte huwelijken heeft meegemaakt: ik regelde mijn pleziertjes zo dat ik er mijn onafhankelijkheid niet voor hoefde op te offeren, dat leek me economischer en minder zwaar. Ik gaf de kandidates uiterst nauwkeurige instructies: ze moesten op handen en voeten zitten en in hun tepels knijpen, hun tong uitsteken en de grond aflikken, hun kaken wijd opensperren en naar de grond kijken, lippenstift op de mond van een vriendin smeren, hun schaamhaar scheren met mijn tondeuse, over hun borsten kwijlen, zich zachtjes vernederen. Niets uitzonderlijks: de mens is een voorspelbare machine, en klaarkomen maakt je zo banaal: je steekt je onderlip naar voren, je maakt hortende geluiden, je zweet en je wordt rood, alsof je liegt. Eigenlijk was mijn seksualiteit niet anders dan die van een priester: een vluchtig, beschaamd genot dat vlekken achterlaat aan de binnenkant van je broek. Doet u niet zo gechoqueerd, monseigneur de rijkeluispriester! Ik begeleidde de meiskes weer naar de deur van mijn appartement en bewaarde hun polaroids als trofeeën die zo nodig mijn fantasieën konden verlengen. Het zijn erg aardige foto's, net felgekleurde snoepjes die je langzaam kunt laten smelten of kapot kunt bijten. Die plaatjes waren mijn voornaamste vorm van seksualiteit. Anja, zestien jaar, met haar benen gespreid, knipogend, haar tong in haar wang, terwijl mijn linkerhand door haar haar woelt en zij mompelt: 'Viliiiii-zjiiii menjaaaa' ('lik me') … Nastia, vijftien jaar, vol levenslust; ze staat tegen een muur en tilt haar jurk op, alleen nog gekleed in doorzichtige kousen, een kruisje tussen haar borsten … Vesna, negentien jaar, die haar lippen tuitte om op Angelina Jolie te lijken, gehurkt alsof ze zit te plassen zodat haar voetzolen gedraaid zijn en haar kuiten gespierder lijken … Joenna, zeventien jaar, die schrijlings en met ontbloot bovenlijf boven op haar tweelingzus Nina zit en een sneeuwpolospeler van de Club van Moskou nadoet … Jevgenja, veertien jaar, peuk in de mond, een piercing met een diamanten kruis in haar navel, die met haar handen op haar buik luchtgitaar speelt … Svetlana, achttien jaar, het lichaam glanzend en satijnzacht met 'Hottest Body', de nieuwe crème van Victoria's Secret die ik uit New York heb mee-gebracht, trots op haar tanden, die cola met een rietje drinkt, gezeten tegenover een ventilator die haar kippenvel rond de te-pelhoven geeft … en de sublieme Snejana, zestien jaar, met ogen met de kleur van honing en mosterd, net als de schoonheids-vlekjes, uitgestrooid tussen haar tepels die zo lang waren als spe-nen, Snejana, de armste van allemaal, die zelfs geen geld had voor een sandwich en die ik fotografeerde terwijl ik pirozjki's at om haar een tantaluskwelling te bezorgen … de honger die haar wangen uitholde maakte het nog erotischer toen ze me smeekte: 'Finger me, Octave …'

In *De meester en Margarita* kleedt het personage Woland (de duivel) vrouwen in een theater aan met jurken die verdwijnen zodra ze de straat opgaan. Ik hoop dat Boelgakov blij is met de constatering dat veel Moskovische wijfjes van tegenwoordig zijn aanbevelingen op de letter opvolgen. Toen ik zijn kat Behemoth ging bezoeken in het huis aan de Bolsjaja Sadovaja, kwam ik meer jonge vrouwen tegen dan bij Gorki, waar oude, nurkse bewaaksters me bevalen om parketsloffen over mijn schoenen aan te trekken. Nageslacht is een soort hof van beroep: in zekere zin wordt er eindelijk recht gesproken: de gecensureerde wordt omringd door bloeiende studentes, terwijl de stalinist, omringd door bombastische schilderijen te zijner ere, met afschuwelijke heksen zit opgescheept! Jammer dat de duivel Dasja niet heeft uitgekleed, de journaliste van *Good Morning Russia* die haar herinneringen aan het huis van de dode schrijvers met me heeft gedeeld ... Nog zo'n verloren engel; uiteindelijk zal ook ik aan de morfine gaan.

Ik heb die wonderen niet voortgebracht: dat heeft uw Heer gedaan! Ik heb geweldige seks met mijn foto's gehad. Vaak betreurde ik het dat ik in 2002 mijn vriend Jean-François Jonvelle had verloren. Hij zou ze de hemel in hebben geprezen ... Met hem kon je praten over de frisheid van vrouwen, het mysterie van die wilde beesten. Hij heeft me allerlei dingen geleerd: hoe je ze op hun lip moet laten bijten, hun nek moet laten aanraken, hun armen moet laten optillen zodat hun borsten ronder worden en hun buik strakker trekt, dat ze niet mogen glimlachen, want alleen serieus is sexy, dat je ze moet verbieden hun mond dicht te doen omdat ze daar dunne lippen van krijgen, dat je ze op de rug gezien op de foto moet zetten, met het gezicht naar de grond als teken van onderwerping, of anders van onder om hun hals langer te maken. Altijd schouders naar achteren om het lichaam stevig te maken en een algehele verplichting tot eye contact. En als ze niet in de lens kijken, moeten ze de ogen neerslaan met de schuldige blik van een meisje dat betrapt wordt op het stelen van een zakje snoepjes bij de bakker. Zo mogelijk slapend, met natte haren of op de wc, alsof je ze verrast in hun intimiteit, met een voetje op de rand van de badkuip. Als ze neerknielen en hun borsten bekijken is het nog beter. Altijd een ventilator en muziek op de achtergrond: de twee bestanddelen die beweging in het haar brengen. Daarna liet ik een loopjongen de foto's naar mijn vrienden van de Nieuwe Nomenklatoera brengen, zodat ze hun keuze konden maken. De oogst van nieuwe meisjes peperde de staatsiediners in Roeblovka, op de voormalige sovchoz Gorki-2 (de afgesloten boerderij die nu het Southampton van Rusland is geworden). Ik voelde me nuttig, en op deze manier haalde ik het einde van de maand. Als ik mijn catalogus de volgende keer meeneem, wordt u dan geëxcommuniceerd, vader? Nou zeg, gaspadin, rustig maar, ik maakte natuurlijk maar een grapje!

5

Ik was engeltjesdealer geworden. Een jaar lang stelde ik mezelf bij ieder leuk, jong ding dat ik zag in de Zima ('Winter'), de Leto ('Zomer'), de Osen ('Herfst') – in Moskou heb je clubs met de namen van ieder seizoen behalve 'Lente', Vesna; dat is een fusionrestaurant – de Titanic, de Cabaret, de Jet Set, de Seven, de Shambala, de Zeppelin, de Circus, de Rist of de Roof dezelfde vragen in dezelfde volgorde: staan haar borsten evenwijdig aan haar lichaamsas; zo ja, tarten haar billen de universele wet van de zwaartekracht van Newton (Isaac, niet Helmut); zo ja, zijn haar kuiten zo dun als baguettes; zo ja, zijn haar vingers zo lang als potloden; zo ja, is haar taille zo smal dat ze een korset lijkt te dragen (en dat niet doet); zo ja, staat haar mond half open om de ijle lucht in deze tent en mijn toekomstige gedachten op te snuiven? En zo ja, hoe verbergt ze dan de vleugels op haar rug? Op ieder nieuw gezicht liet ik mijn checklist los. Ik ontmoette geen vrouwen, ik controleerde ze. Ik bekeek ze altijd alleen van beneden naar boven, heel professioneel, en dan van boven naar beneden, zonder te glimlachen of te groeten. Bij iedere vrouw werkte ik een batterij tests af, een ware checklist, als een piloot die zijn kist inspecteert en alles pietluttig afvinkt op zijn notitieblok, in de wetenschap dat zijn vliegtuig op de dag dat hij geen enkel mankement vindt, zal neerstorten, omdat perfectie niet bestaat.

6

Die dag werden de gebouwen omhuld door een lichte nevel, als drijvende waterdamp, een waas die het licht overdekte. De geur was uniek: een mengel van rotte vis, hoerenparfum, gemorste wodka, benzine, algen en uien. De geur was even gevarieerd als het jaarverslag van Gazprom. In de Caviar Bar van Hotel Europe smeerde ik de zwarte eitjes uit over de warme flensjes en pleegde ondertussen telefoontjes met Parijs om de grote Aristo Style of the Moment-wedstrijd te organiseren. Het werd zomer. Aan de tafel naast mij kwam Jean-Paul Gaultier niet meer bij: 'Wat een magische plek ...' Iedereen die voet in Sint-Petersburg zet, gebruikt aan één stuk door dat woord 'magie'. Zelf geloof ik niet in magie, ik geloof alleen in de fantasie van waanzinnigen. De geblondeerde couturier maakte deel uit van mijn jury, samen met Jean-Luc Brunel, Etienne Folly, Tim Jeffries, Omar Harfoesj en Sergei Orlov, bijgenaamd de Idioot. Voor het eten had ik in mijn eentje door de zomertuin van de tsaar gezworven, omringd door beelden en lindebomen, langs de allee waar Peter de Grote feesten organiseerde met vuurwerk en nachtelijke banketten. Ik ben er in gedachten zo vaak naar teruggekeerd ... Dat hoge hout is mijn verloren Hof van Eden. Iedere keer dat ik eraan denk wil ik zwijgen, om dat beeld van ons tweeën, van ons samen, beter te kunnen verwerken ... Hier kwam Poesjkin altijd om op een bankje te lezen, in zijn kamerjas, als een ware couch potato. En hier was het ook dat Lena me op de dag na onze eerste ontmoeting verzekerde dat ik cooler was dan Immanuel Kant (jullie Russen beginnen veel jonger dan wij met lezen, omdat jullie niet altijd de middelen hebben om een Playstation Portable aan te schaffen). De lucht was blauw, de hemel was warm, we hielden elkaars hand vast en ik zei tegen haar: 'You are my utopia.' Ik had geen idee hoezeer dat woord in uw contreien te grabbel is gegooid; bij ons heeft het nog steeds een goede reputatie. Ze legde uit dat het in Rusland nogal beledigend is om voor utopie te worden uitgemaakt. Ik kuste haar om haar tot zwijgen te brengen. Toen ik vroeg: 'Hou je van me?' antwoordde ze: 'Ja, heel veel.' Ik zou haar hetzelfde hebben willen zeggen als wat Jean Marais Catherine Deneuve antwoordde in Jacques Demy's *Peau d'âne*: 'Heel veel is niet genoeg', maar we spraken Engels, dus dat zou worden: 'Do you love me?' 'Yes, I like you.' 'Like is not love.' Kortom, het was minder feeëriek dan wanneer ze gewoon had gefluisterd 'Ja ljoebljoe tibje' ('Ik hou van jou'). We kochten cola bij de drankjestent van het park. Daarna spiegelde ik haar van alles voor.

'Kun je echt doorgaan voor een Tsjetsjeense?'

'Vraagt u dat omdat ik blond ben en lichte ogen heb? Dat komt in Tsjetsjenië net zo veel voor als in de rest van de federatie.'

'Nee, hm, het is zomaar een vraag. L'Idéal wil de dappere strijd ondersteunen van een volk dat voor zijn vrijheid vecht ...'

'Ik heb mijn vader nooit gekend. Met een beetje mazzel was hij er echt een! Mijn moeder zegt dat het een Fransman was.'

'Nou, dat is toch prachtig: een Tsjetsjeense Française, succes gegarandeerd.'

Er vloog een engel voorbij, maar natuurlijk was zij dat; ze liep met uitgestoken armen. Ik veranderde maar van onderwerp.

'Als je met me naar bed gaat, garandeer ik je een enorme media exposure.'

'Shut up!'

'Even serieus: ik heb mijn checklist afgewerkt. Je bent ready for take-off. Ik moet je absoluut meenemen om je buikje te laten bruinen bij Club 55 in Saint-Tropez.'

'Why?'

'Om je voor te stellen aan de Meester der Bloeiendemaagdenfotografie: David Hamilton. Die luncht er dagelijks en hij vindt je vast geweldig. Door jou te lanceren kan hij zijn eigen carrière ook weer op de rails zetten.'

'Na zdarovje!' zei ze, en ze proostte met haar blikje.

'Op jou. Lichaam en ziel.'

De blauwe, roze en rode paleizen gaven me het gevoel dat ik door een enorme banketbakkerij liep, een stad overdekt met frambozencoulis. Ik ademde voorzichtig en vermeed plotselinge bewegingen, omdat mijn cardioloog slagaderlijke hypertensie heeft vastgesteld. Maar toch kreeg ik – hoe kon het ook anders? – een astma-aanval. Ik begreep wat Odysseus gevoeld moet hebben toen hij de sirenenzang hoorde, hoe gevaarlijk pure schoonheid is als je elektrocardiogram een bovenmatige tonus laat zien. Als ze alleen maar met haar ogen knipperde, was het al een hele gebeurtenis. Het oog ging langzaam dicht, vertraagd, als een elektrisch rolluik; dan ontmoetten de bovenwimpers de onderste, ze vermengden hun enorme lengte en vergeleken hun zwarte boogjes; ze raakten in elkaar verward, kregen ruzie en gingen boos uit elkaar; het oog opende zich zachtjes voor het licht en de wereld werd opnieuw geboren. Iedere keer dat ze met haar ogen knipperde, brak er een nieuwe ochtend aan. Ongelooflijk, ik moet eruit hebben gezien als een belachelijke sater, maar dat kon me niet schelen. Haar voetjes, in trompetvormige laksandalen gestoken, haar parfum dat zowel licht als onuitwisbaar was (een imitatie van L'Heure Bleue), de kuiltjes in haar wangen als ze lachte: ze gaf je onophoudelijk redenen om haar lief te hebben, en zelfs als je nog weerstand kon bieden aan deze drie moest je wel vallen voor haar te grote, kastanjebruine jas, haar verlegenheid van een welopgevoed, jong meisje (wat je ook voor arrogantie zou kunnen aanzien), de manier waarop ze om niets begon te blozen, met weggedraaide ogen op haar duimnagel beet, met haar voet wiebelde zodat haar dansschoen aan haar teen bungelde, haar hoofd boog om een haarlok te laten dansen, of haar vampiertand toonde (de hoektand linksboven). En dan haar stem! Net te sereen, traag voor haar leeftijd, alsof de prinses er al aan was gewend dat ze nooit werd onderbroken. Alle dieren zwegen als ze sprak, de natuur wilde genieten van de melodie, de balalaika's konden in de coulissen blijven, en zelfs de wind maakte zich klein als ze haar sigaret wilde aansteken.

Toch waren er dingen waarover we van mening verschilden.

'I love Pete Doherty! Hij is de nieuwe Jim Morrison. Ik ben gek op hem.'

'Je zou het geen vijf minuten uithouden met die gek.'

'Het is een dichter.'

'Bij de eerste kotsvlek op je jurk zou je wegvluchten.'

'Je bent jaloers. Hij is aan de drugs omdat hij lijdt.'

'Ik, jaloers op zo'n zwerver? Piezdjets!'

'Wie heeft je zulke woorden geleerd? Wat vulgair. Ik voel vlinders in mijn buik als ik een liedje van Pete Doherty hoor.'

'Ik voel vleugels in mijn buik als ik naar jou kijk.'

'Doherty is misschien gek, maar hij jaagt tenminste niet op modellen, zoals jij!'

'Hoho! Twee woorden: Kate, Moss.'

'Goed, maar Doherty staat niet de hele dag naar meisjes te gluren op zoek naar grote borsten en kleine kontjes – hij niet!'

'Ik kijk alleen naar andere meisjes om te bevestigen wat ik al weet: dat jij het mooiste meisje in het levende universum bent. Dat je ogen de grootste van de melkweg zijn, en dan bedoel ik niet alleen inclusief Boogschutter, maar zelfs met de Andromedanevel erbij.'

Als we zo kibbelden, zag ik dat ze zich bozer maakte dan ik, omdat ze jonger was en daarom minder immuun. Ik moest mezelf tegenhouden om haar niet te verkrachten, zij hield zich in om niet in tranen uit te barsten. Het was wat je een ontluikende liefde noemt. De mooiste momenten als je een meisje leert kennen zijn dit soort nietszeggende twisten, kleine conflicten waarvan het enige doel de bezegeling van de verzoening is en het aanjagen van een zoete angst die je beter laat beseffen hoe gelukkig je bent dat je eindelijk door iets anders ontroerd wordt dan door een film of de televisie. Als een gezicht je tot tranen kan roeren, is het normaal dat je het dat kwalijk neemt. We zwierven helemaal naar de Herzenstraat, zodat we het rode Liberty-huis van Vladimir Nabokov passeerden. Een bezoek leek me wel gepast …

Ik voelde me levend als ik haar infantiele sms'jes stuurde. Kijk, ultieme pope, ik heb ze allemaal in mijn mobieltje bewaard.

'Ben je me vergeten, slaap je, ben je dood, ontloop je me of hou je van me?'

'Ik hou geen moment niet van je.'

'Zonder jou gaat de tijd te langzaam. Morgen komt pas volgend jaar.'

'Ik heb je veertig jaar gezocht.'

'Ik dank de Heer dat hij je het leven heeft geschonken, je moeder dat ze je heeft grootgebracht en pater Jerochpromandrit dat hij ons bij elkaar heeft gebracht.'

'Als ik mijn ogen sluit, zie ik de jouwe.'

'Ik zou dit niet moet schrijven. Een man die oprecht verliefd is, is een loser.'

'Ons leven samen wordt immens.'

'Je curaçaokleurige ogen zijn mijn dictatuur. Ik heb je lief tot mijn laatste snik.'

'Ik ben tegelijk je dubbelganger en de helft van jou.'

'Wanneer ik eraan denk dat jij bestaat, begin ik stompzinnig te glimlachen.'

'Zonder jou ben ik gehandicapt, tetraplegisch, mongoloïde, comateus, paranoïde, neurotisch en manisch-depressief. Doe je ogen dicht, ik leg mijn handen op je gezicht en ik fluister in je oren dat ik altijd van je zal houden. Hoor je mijn tranen in je oren vallen?'

'Ik heb het razend druk vanavond, maar ik kom graag je bikinilijn controleren.'

'Ik rij nu rond, maar ik zat liever in jouw mond.'

'Jij bent de lucht die mijn longen vult en mijn beschadigde ziel verjongt.'

'Ik verveel me zonder jou ... omdat jij me nooit verveelt.'

'Ik heb een hekel aan heel veel dingen maar ik hou van een paar dingen en een daarvan ben jij.'

Ik moet al huilen als ik ze alleen maar lees, want in een opwelling heb ik al haar antwoorden gewist.

7

Van de zestig zonnedagen per jaar heb ik er vier meegemaakt, en dat is al heel wat. Vanaf mei wordt het geen nacht meer in Petersburg, wat slapen moeilijk maakt. Om middernacht wordt het licht iets paarser en uiteindelijk een soort Kleinblauw. Om drie uur 's ochtends gaat de zon een uur lang onder, en er kan geen sprake van zijn dat je langer slaapt dan hij. Lena voerde me in kleine bootjes over de grachten, maar pas op: Sint-Petersburg is geen Venetië van het Noorden (die debiele bijnaam bewaren we voor Amsterdam of Brugge, ik denk dat u zich daar wel in kunt vinden, vader). De driehonderd bruggen worden lang niet allemaal verlicht, maar dankzij Lena's stralende gezicht leden we geen schipbreuk. Vissers vloekten en tierden als we de vissen met ons kleine motorbootje op de vlucht joegen. Op de Neva gingen een paar bruggen omhoog om de schepen te laten passeren die naar het Ladogameer voeren. Een klassieke Petersburgse versiertruc: haal een meisje van de andere kant van de rivier en ze is verplicht om bij je te blijven totdat de brug weer dichtgaat, rond vijf uur in de ochtend. Ik verdwaalde voortdurend in Sint-Petersburg: Lena vond dat ik aan 'topografische debiliteit' leed. Maar ik mocht graag in dat marmeren labyrint rondzwerven, als een schaduw in de mist, een schim tussen de stenen en het overstromende water. Het schijnt dat in de herfst de wind het water van de Finse Golf tot in de kelders van de Academie voor Schone Kunsten jaagt en oude meesters en antieke toverboeken verwoest. De daken waren zo verguld als de schouders van de stripteasedanseressen in de *Golden Dolls*. De hemel was zo roze als een borst. De bruggen gingen als benen uit elkaar. Te veel seksuele metaforen, ik weet het, pardon your holyness, maar het zijn de enige vergelijkingen die me niet vervelen. Hoe kun je slaap hebben als het nooit nacht wordt? Alle donkere stegen leken op elkaar, en de gezichten van de voorbijgangsters gaven me het gevoel dat ik door het modellenboek van Elite bladerde. Nabokov heeft zijn geboorteplaats goed uitgezocht, en president Poetin ook. In Sint-Peet is een normaal uiterlijk dat van een cover van de Vogue. Sommige godinnen gingen per jetski over de Fontanka naar de nachtclub. Gelukkig diende de Nevski Prospekt als kompas, met de Broadway-imiterende neonlichten en het geluid van de toeristische harpen op de achtergrond, wanneer de on-nacht ten einde kwam in de Zabava Bar (de stripclub op een schuit op de Neva). Ik vond mijn hotel terug door de rococogevel te volgen die geel was geverfd om er het hele jaar door zonnig uit te zien. Met de kleine Elena Dojtsjeva bezocht ik het appartement waar Dostojevski *De gebroeders Karamazov* schreef: niet zo interessant, behalve de slappe vilthoed die hij in Parijs had laten liggen. Een stilstaande pendule geeft het tijdstip van zijn dood aan: 8 uur 36, 28 januari 1881. Ik weet nu hoe je een meesterwerk schrijft: je gaat in een luguber appartement wonen, je zet een slappe hoed op je hoofd, dan opent zich iets op je blad papier waar je alleen nog maar hoeft in te duiken en hupsakee! En als het lukt, wordt je appartement in de originele staat bewaard. We gingen ook bij Poesjkin langs: zijn bibliotheek is bijzonder goed gevuld voor iemand die op zijn zevenendertigste is gestorven. We moesten onze schoenen uitdoen en parketsloffen dragen om de houten vloer niet te beschadigen. Lena en ik gleden rond als kunstschaatsers, lachend, met opgeheven armen, onder de ontstelde blikken van de oude dame die toezicht hield op het museum. Ook daar stond een klok stil op het tijdstip van zijn dood: kwart voor drie, 10 februari 1837. Ze hebben de pistolen bewaard van het duel dat hem het leven kostte. De twee schietijzers liggen mooi uitgestald in een vitrine. Ik bleef lang staan kijken naar het wapen waarmee de Fransman d'Anthès Poesjkin aan de oever van de Zwarte Rivier in zijn pens heeft geschoten. Het was een tijd waarin er niet gespot werd met de liefde. Bevangen door een niet te onderdrukken geestdrift zei ik tegen Lena:

'Ik wil in jouw armen sterven.'

'Oh, no please! I will have to remove the body! Ken je het verhaal van de oude man bij Poesjkins dood?'

'Njet.'

'Poesjkin lag al op sterven als zijn overlijden opeens bekend wordt gemaakt. Een oude man die voor het huis staat te wachten, hoort het nieuws en barst in tranen uit. Dus ze vragen: "Bent u familie?" "Nee," antwoordt de oude man, "ik ben Rus."'

Daarom geef ik de voorkeur aan Petersburg boven Moskou: het verlangen naar snel geld en ranke prostituees wordt hier verzacht door culturele waardigheid en historische trots. Het is de stad van de stilstaande klokken, de appartementen in oorspronkelijke staat, het oude roggebrood dat toch nog wordt gegeten. Het verleden komt continu bovendrijven en weegt zwaar op het heden. In Moskou proberen ze het verleden te vergeten omdat ze denken dat het de toekomst afremt. In Sint-Petersburg is het verleden juist een garantie voor de toekomst: op deze stad heeft Hitler zijn tanden stukgebeten. Gedurende de negenhonderd dagen van het beleg van Leningrad aten de inwoners lijm en ranzige yoghurt, ratten, kinderen en aarde. Er vielen achthonderdduizend doden op drie miljoen stedelingen. Dat zijn nog eens 'bodies' om te 'removen'! De Russen doen hetzelfde als mijn hersenen: ze bewaren alleen de prettige herinneringen. De lijst van KGB-collaborateurs is uitgewist. Het stoffelijk overschot van Maria Fjodorovna (echtgenote van de tsaar) is met veel prachtvertoon naar de Petrus-en-Paulusvesting gebracht. De goelag: gearchiveerd in een kelder. Het verzet tegen de nazi's: gevierd. De slachtoffers van het stalinisme: niet over beginnen. De helden van het Russische leger: toegestaan (behalve degenen die ze hebben laten stikken in de onderzeeër Koersk). De ouderdom geeft de gebouwen een grandeur die niet aan te leren valt. Op iedere straathoek vind je rococotheaters en literaire cafés. O vader, u wist dat het gevaar bestond dat ik in die droomstad verliefd zou worden! Zelfs de hipste tent heet Onegin, genoemd naar de romantische dandy die door Poesjkin is bedacht. Als ik ooit nog een tent in Sint-Peet begin, noem ik hem Groet-sjenka, naar het zelfdestructieve meisje, de mannenvreetster uit *De gebroeders Karamazov*. Vergeet niet dat Sint-Petersburg de stad is waar beelden worden opgericht voor verwende kinderen, dronkaards, losbollen, frivole rokkenjagers en doden. Poesjkin, de schrijver die op het eerste gezicht zo nietszeggend lijkt, ver-geleek Sint-Petersburg met 'een raam dat openstaat naar Europa'. Windows on Europe? Er is ook het Litteratur Café, waar de dichter zijn laatste glas dronk voordat hij zich door de min-naar van zijn vrouw in een duel om zeep zou laten helpen. Lena heeft me overal mee naartoe genomen: ik weet nog steeds niet waarom ze me 's nachts mee uit wandelen nam, als een kind dat een hond uitlaat. Het zal wel beleefdheid zijn geweest jegens die vriend van de priester van haar moeder. Helaas zag ik die goede manieren aan voor ontluikende genegenheid ... Ik wist niet waar ik naar moest kijken: Lena of Petersburg. Oneerlijke concurrentie. Meestal overschaduwde zij de stad; het leven won het van het marmer, de vibrerende jeugd verpletterde de stenen kariatiden. Alles daar is drie eeuwen oud. Inclusief de pianist in mijn hotel, die een kandelaar en een roos op zijn zwart-witte piano had gezet.

Alleen Lena was geen driehonderd jaar oud. Ze kwam onopval-lend aanlopen, met haar portfolio in de hand en haar lange haar als een waterval over haar schouders, blakend van levenslust en gezondheid. Ik weet haar eerste zin in de Caviar Bar nog uit mijn hoofd: 'Hi, I am visiting you on behalf of father Jeroch-promandrit. My name is Elena but everybody calls me Lena.' Van mijn leven had ik nog nooit zoiets gekmakends gezien. Het is nogal gênant als je meteen naar de maan wilt gaan huilen over een teer, blond meisje van veertien, dat je je tong in een mond wilt steken die zo jong is als een kers in de lente, op de grond wilt gaan liggen zodat ze over je heen kan lopen terwijl ze 'spakojnoj notsji' zegt. Vrienden van me die in de zaal zaten vertelden me dat ik paars werd toen ik haar een hand gaf en hem een minuut lang niet losliet. Ik zal mijn eerste woorden nooit vergeten: 'My name is Octave Parango. Ik work for Aristo Agency and I have been looking for you since I arrived in Russia.' De ogen van Frédéric Cerceaux van Madison moeten even ver uit hun kassen zijn gesprongen toen hij de vijftienjarige Laetitia Casta op het strand van Calvi ontdekte. Ik beloofde het teerbleke meisje meteen dat ze het concours zou winnen, dat de wedstrijd geen betekenis meer had, dat ze met glans had gewonnen door niets anders te doen dan geboren te worden, dat ik haar foto naar Ellen von Unwerth en Mario Sorrenti ging faxen, dat *Bazaar* overal ter wereld om haar zou vechten maar dat ze haar niet verdienden, dat ze haar gulle gaven moest leren verbergen, dat ze zich niet meer mocht laten zien, dat haar kracht in haar zeldzaamheid en discipline lag, zoals bij de danseressen van het Kirov, kaviaar en wodka voor iedereen, dat het leven mooi was dankzij haar en voor haar, dat God bestond omdat hij haar gemaakt had. Ik dacht dat ze lachte, terwijl ze eigenlijk haar tanden liet zien ... Haar eerste grap had me wantrouwig moeten maken: toen ik zei dat haar ogen dezelfde kleur hadden als het zwembad van het hotel, zei ze: 'Dat zwembad ken ik wel: het water is smerig.' Toen had ik al moeten begrijpen dat ík de sukkel in deze geschiedenis zou zijn. Ze ging mee naar mijn suite toen ik haar comp card ging scannen om hem naar de bookers van ons internationale netwerk te mailen. Niet alleen waren haar foto's beroerd (zwart-wit, ongetwijfeld genomen door een vriend die aan de Academie van Schone Kunsten van Sint-Petersburg studeerde, in ruil voor haar maagdelijkheid), ze waren ook ontstellend, ongekunsteld pervers. Ze stond er met ontbloot bovenlijf op en ik zag haar ziel. Ziel: tot dan toe had ik nooit geweten wat dat woord inhoudt. Opeens zag ik een foto van een ziel. Geen enkel bijvoeglijk naamwoord kan ooit beschrijven wat er zich op dat plaatje afspeelt; het deed me denken aan een schets van Degas in het musée d'Orsay (*Halfnaakte vrouw, op de rug gelegen*, 1865). Jazeker, ik heb weleens van de 'Russische ziel' gehoord. In uw land is geloven in God een pleonasme. Wat ik op dat moment leerde is dat God een Russisch meisje is met jonge borsten en een keizerlijke blik, dartel als een faun van Léon Bakst in het paleis van Catharina de Grote. Een superieure entiteit was tijdelijk in dit lichaam getrokken, had dit aardse omhulsel voor de duur van één leven betrokken. Als je zo lang op genade hebt gewacht, komt de dankbaarheid langzaam op gang. Ik had nachten op harde couchettes doorstaan, maaltijden op basis van doorgekookt lamsvlees in oranje plastic cafetaria's, rondjes formica wodka bij gezinnen met rode gezichten, alles om eindelijk dit wonderbaarlijke moment te mogen meemaken. Halleluja! Lena vatte mijn gedachten samen in een spreekwoord: 'No pain, no gain.' Ik zag al dat het effect van mijn genetwerk per internet de jury ten gunste van haar zou kunnen doen omslaan. Toen ik een foto van haar maakte, was zelfs mijn fototoestel geïntimideerd. Met mijn tong op mijn schoenen dronk ik de minibar leeg. Ik stapelde alle beginnersfouten op elkaar! Ik wist niet of ik verblind werd door de liefde of door het flitslicht. Hoe vaak hebben ze me niet gezegd om nooit gevoelens toe te laten in dit werk! Het is de klassieke hinderlaag: de beginnende mannequin krijgt alles van je, percentages waarover ze niet heeft hoeven onderhandelen op een feestje bij Karl Lagerfeld ... Ik had er beter aan gedaan om me aan de nepkristallen kroonluchter op te hangen. Maar wat wilt u: mijn vader was ook al zo gek op jonge vrouwen, ik zie niet in waarom ik mijn afkomst zou verloochenen.

8

Vanwege mijn meelijwekkende volharding was Lena bereid om de volgende dag met me mee te gaan naar het Peterhofkasteel, dat aan zee ligt. Ik had op mijn hoede moeten zijn: ze deed zo snel vriendschappelijk dat het onmogelijk echt kon zijn. Wat zou Peter de Grote in mijn plaats hebben gedaan? Direct verminken. In het cachot, of anders vierendelen. En anders had hij precies hetzelfde gedaan wat ik nu deed: haar meevoeren over een lommerrijk, met berken en coniferen omzoomd pad, naar zijn kleine paviljoen genaamd Mon Plaisir, vanwaar je tussen de bloembladeren van de ontluikende zomer door de ijsbrekers kunt zien die de oversteek naar Kronstadt maken. Lena zag er verveeld uit en ik zag dat ik haar geen barst interesseerde: ze wilde alleen dat ik ervoor zou zorgen dat ze de finale won. Maar het uitzicht over de Finse Golf onder de oneindige hemel, de witte zon, de vriendelijke wolken en haar kinderlijke gedrag in dit rood-bakstenen miniatuur-Trianon … Het leek of ik muziek hoorde. Ik viel voor een beeld, wat wilt u, priestertje van me, ik ben estheet – een beroepsdeformatie. En bovendien had ik al zo veel poen geïnvesteerd in deze marktverkenning. Er was geen andere oplossing dan om als een baksteen te vallen voor dit gerontofieltje met de gewelfde torso en de hoge taille. Lena liet zich speels besproeien door een toverfontein. Het water viel op haar en ik viel ook op haar. Ik vulde mijn longen met zuivere, zilte lucht. Kortgeleden heb ik twee dichtregels van Pasternak gelezen die me aan dat moment deden denken:

Geef je borsten over aan mijn kussen als aan opborrelend
water!
Schud mijn ziel door elkaar! Zodat hij ter plekke bruist en
overstroomt!

De waterstraal uit de reusachtige bloem maakte haar drijfnat, haar natte bloes plakte tegen haar borsten die je door de transparantie heen kon raden, de kleur van haar tepelhoven paste zich aan haar roze lippen aan, haar haar maakte haar voorhoofd nat en slingerde anarchistisch tussen haar borsten door, als een zwarte rivier, de aarde tussen haar voeten werd lossig en in die hemelse modder wilde ik verdrinken. Is het mogelijk om een definitie te geven van harmonie? Het was alsof ik in dat decor van een Baltische briefkaart in de lente eindelijk geaccepteerd werd. Alsof mijn lelijkheid en mijn zwakte me eindelijk vergeven werden: ik voelde me niet langer een indringer. Haar schoonheid verschafte me toegang tot een onbevlekte wereld, haar argeloosheid maakte mijn leven eenvoudiger; ik slikte die tijdelijke kalmte als een dosis Stilnox. Een seconde is genoeg; je denkt dat je het doel hebt bereikt. Hebt u dat ooit gevoeld? Dat je niet meer durft te bewegen uit angst dat je iets kapotmaakt? God stak zijn armen naar me uit en ik voelde me gereed. Gratie is een ogenblik, want op die momenten heb je geen verleden en geen toekomst. Je wordt een landschap.

9

Brr ... Buiten is het warm en binnen is het koud. Bravo: met
uw hoge plafonds hebt u een niet-vervuilende airco uitgevonden. Ik krijg een loopneus in uw ijskathedraal, terwijl het hartje
zomer is. Buiten lopen de voorbijgangers in korte broek of gaan
ze naakt aan de oever van de rivier in het gras liggen om bruin
te worden. En kijk eens hoe het hier bij u is: er komt damp uit
mijn mond. Ik kan er ringen van blazen alsof ik een havana
rook. Zolang kerken koud blijven zal het geloof de crisis niet
te boven komen. En toch ben ik dol op bidden, dat heb ik al
verteld! Hier in Moskou kniel ik vaak net zo neer als ik in Parijs
deed. Ik val op mijn knieën in een plas water voor een kerk waar
ik niet naar binnen ga, en ik vraag de hemel om me mijn zonden
te vergeven. Ik mag graag uitvaren tegen de Grote Afwezige. Ik
wend mijn blik naar het firmament en vraag ook de sterren om
me alvast absolutie te verlenen voor de zonden die ik nog van
plan ben te begaan. Daarna kom ik weer bij u om te biechten.
Zo zijn al mijn misstappen goed afgedekt. Ivan de Verschrikkelijke deed eigenlijk precies hetzelfde in de Basiliuskathedraal, is
het niet? Kniebuigingen geven je de kans om op adem te komen
tussen twee martelsessies door. Ik wil niet opscheppen, maar ik
heb heel veel gezondigd. Ik denk vaak bij mezelf dat het leven
van de moderne man een stuk simpeler zou zijn als verkrachting legaal was. Jammer genoeg moet je eerst om toestemming
vragen voordat je van zo'n welgevormd lichaam gebruik kunt
maken. Eindelijk kom ik bij het doel van deze biecht: na een
paar seizoenen in Moskou begonnen mijn kuise fotosessies uit
de hand te lopen. Verlangen veranderde in begeerte, begeerte
in lust (een van de zeven hoofdzonden) en lust in haat. Als ik u
dat de vorige keer zou hebben verteld zou u me nooit aan Lena
hebben voorgesteld, en daar had u volkomen gelijk in gehad.
(En als je dan bedenkt dat er in het Engels één woord is – to

introduce – voor voorstellen en insteken!) Ik kan me de dag dat het veranderde nog precies herinneren. Een zekere Sasha zoog in mijn atelier op een Chupa Chups. Met haar sproeten en haar vlechten wachtte ze geduldig mijn oordeel af. Ik voelde dat ik haar alles kon vragen en dat deed ik dus ook: 'Ga rechtop staan, zodat je tieten groter lijken!' 'Til je jurk op en buig je voorover.' 'Ik heb zin om je poes te tongzoenen.' 'Doe je panty en je slipje naar beneden. Spreid je benen. Duw je schaamlippen wijd open. Mag ik je Sesam noemen?' Ik heb close-ups van haar zalmachtige foef en een geluidsopname van haar geklaag bewaard. Het is heerlijk: ik heb nog nooit zoiets geils gehoord als haar protesten. Ze heeft nooit een aanklacht ingediend omdat mijn 'dak', Sergei de oligarch, me beschermt. Ziet u, o onbevlekte profeet, het probleem met macht is dat je er uiteindelijk altijd gebruik van maakt. Seksuele perversiteit is een traditie in autoritair Rusland sinds Lavrenti Beria. Als een nimfje wil slagen in de modellenwereld, moet ze met mij geen ruzie krijgen. Ik ben een soort verplichte doorgang naar de sunlights. De Sint-Pieter van het glossy papier! De Cerberus van de fashion!

U kucht? Dat is tenminste een teken dat u nog wakker bent. Ik moest maar eens beginnen aan de bekentenis die me zo zwaar valt en die ik al maanden uitstel. Goed dan: voordat ik Lena ontmoette, heb ik in een jaar tijd twaalf jonge deernes verkracht. Kijkt u niet zo: dat is er nog altijd maar één per maand … In artistieke beroepen zoals het mijne ontwikkel je snel bepaalde gewoontes, moet u weten … Trouwens, als ik 'verkrachten' zeg, dan zit ik een beetje op te scheppen, soms stak ik alleen een vinger naar binnen of dwong ik ze om met hun klitje te spelen totdat ze klaarkwamen. Maar laat ik u mijn methode uitleggen. Ik vroeg ze om hun lichaam te tonen om hun 'sensualiteit te vangen in de lens'. Ik sprak over 'cinegenie', 'professional sex appeal', 'chic porn attitude', 'trashy style'. Ik noemde de undergroundfotografen van het moment: Terry Richardson, Rankin, Larry Clark, Juergen Teller, Richard Kern, Roy Stuart, Grigori

Galitsin, allemaal x-rated. Tegen de intellectueelsten begon ik over het onrecht dat de grote cineast Jean-Claude Brisseau is aangedaan, en hoe de ridderlijke Louis Skorecki zijn verdediging op zich nam in de zaak over een hete castingsessie waarin de filmmaker door de Franse justitie werd veroordeeld. Eén zin uit het vonnis joeg me in het bijzonder angst aan: 'De heer Brisseau was uitsluitend op zoek naar de bevrediging van zijn persoonlijke genot, hetgeen buiten iedere artistieke of cinematografische intentie staat.' Walgelijk! Wat moet je met een artiest die naar iets anders op zoek is dan 'de bevrediging van zijn persoonlijk genot'? Ik weiger een roman open te slaan van een schrijver die aan iets anders denkt dan aan zijn persoonlijke genot. Rodin trok zich af voor zijn modellen! Klimt ook! Maar laten we doorgaan, ik merk dat ik me begin op te winden, straks krijg ik rode vlekken op mijn wangen, walgelijk. De porno-look maakt deel uit van de tijdgeest, de sexy kaart uitspelen is iets heel anders dan je prostitueren, alle sterren hebben het gedaan (en dat is ook zo: de meeste modellen zijn begonnen met meer of minder hardcore naaktfoto's). Bovendien: seks is niet een probleem, maar iets wat je moet onderzoeken, een manier om je uit te drukken. Ze lieten zich gaan, boden zich aan, werden nat, kreunden, zogen, slikten, kwamen klaar, plasten in mijn bijzijn als ik ze erom vroeg. De artistieke onderbouwing rechtvaardigde ieder experiment. Ze vonden het heerlijk om zich gerechtvaardigd te weten. Ik gaf ze een culturele onderbouwing en zij gaven me hun spleet: het was eerder ruilhandel dan verkrachting.

Hoe zegt u, uwe eerwaardige? Natuurlijk heeft niemand aangifte gedaan. De politie staat aan onze kant. Die meisjes weten dat er geen actie op hun klachten zal worden ondernomen en dat onze represailles meedogenloos zijn. Op een keer wilde een van mijn slachtoffers gerechtelijke stappen ondernemen. Met een paar telefoontjes hebben ze haar ervan afgebracht. Voordat ik ze meenam, zorgde ik ervoor dat ze duidelijk wisten dat ik hun adres en dat van hun familie had. Onze zware jongens waren experts in het angst aanjagen: ze zijn enorm breed, ze bellen aan, tillen je op bij je kraag, doen het raam open, houden je boven de diepte en vragen of er een probleem is. Gewoonlijk krijgen ze te horen: 'Nee, wat voor probleem? Er is geen probleem. Er is nooit een probleem geweest.' Zo worden in Rusland sinds Peter de Grote problemen opgelost. De massief gouden koetsen zijn vervangen door geblindeerde Mercedessen, maar intimidatie is nog altijd het zenuwstelsel (de bullepees) van de Russische samenleving. Ik weet niet wat er van die klaagster is geworden; waarschijnlijk houdt ze zich ergens schuil in een izba op de taiga of in een yoert in Mongolië, ergens in een verre uithoek van uw provincies van isolement en vergetelheid, ergens in de buurt van de vrieskist waar Chodorkovski, de miljardair die Yukos aan het Amerikaanse Exxon wilde verkopen, zit weg te rotten. Poetin en ik mogen graag af en toe een voorbeeld stellen, dat houdt de muiters kalm. Ik moet zeggen dat ik mijn business goed in de hand heb. Ik verzamelde lolita's voor de orgies van de nieuwe nomenklatoera, in ruil waarvoor mijn hooggeplaatste vrienden me veiligheid en vrijstelling van strafvervolging verschaften. Af en toe schaamde ik me ervoor dat ik mezelf verkocht voor petroroebels, maar ik weet niet of ik er spijt van heb. Het is zo gemakkelijk om een ontaard beest te worden door naïviteit uit te buiten. Ik maakte die mokkeltjes kapot omdat het slecht met me ging en het ging slecht met me omdat ik een man was. Wat voor probleem? Is er een probleem?

10

Langzaam maar zeker liet ik mijn werk verslonzen: L'Idéal bracht me minder op dan de Oligorgie. Die carcinogene-zalfjesdealers zochten het maar uit. Het is een heel andere orde van grootte: vergeleken met de verkoop van aluminium en gas lijkt de cosmetische industrie op een start-up van student-stagiairs. Ik zag het idee wel zitten om twee of drie nullen aan mijn bankrekening toe te voegen, alleen maar door een smeerlap te worden. Aristo viel me telefonisch lastig, maar ik leerde snel om onbereikbaar te zijn: je moet gewoon nooit meer opnemen als er iemand belt en je wordt plotseling heel belangrijk. Ongelooflijk hoe bellers onder de indruk zijn van een volle voicemailbox. De Moskovische miljardairs huisvestten me gratis in recent gerestaureerde paleizen, waar de sofa's wegzonken in de kasjmieren tapijten en de kussens in de canapés van sabelbont. Om boodschappen te doen, twijfelden we tussen de helikopter en de jet om ten slotte iemand in onze plaats te sturen. De meisjes waren dolgelukkig dat ze geen castings meer hoefden te doen; en tussen ons gezegd en gezwegen: het is inderdaad een stuk minder vermoeiend om tussen zijden lakens te liggen en over je heen te laten klaarkomen dan urenlang op de tocht voor de lens te moeten staan. De avenue Montaigne en Courchevel (door Sergei 'the Russian Alps' genoemd) waren alles wat me nog met mijn voormalige vaderland verbond. Je kunt heel snel van jezelf verwijderd raken; en het was zo prettig dat het bijna angstaanjagend was. Ik mocht graag kijken naar halve hoertjes die halfnaakt door de modder rolden. Wat heb je aan macht als je er geen gebruik van maakt?

Lena heeft me naar u gebracht, zoals u me naar haar hebt gebracht. Nee, maakt u zich geen zorgen, ik heb haar niet verkracht, ik heb haar zelfs nauwelijks aangeraakt. Lena heeft ranke voetjes, ik heb door haar panty heen op haar tenen gezogen, dat is waarschijnlijk het heetste wat ik met haar heb gedaan. De enige keer dat we samen sliepen, lagen we met de gezichten tegen elkaar, en toen ze sliep, vertraagde ik mijn ademhaling zodat we gelijk op gingen. In haar slaap leek ze op een schilderij van Picasso: *Slapende vrouw*, maar dan minder kubistisch. Ik kon haar niet aanraken ... Porseleinen vrouwen geven je het gevoel dat je een olifant in een Limogeskast bent. Ik was trots om met haar uit te gaan, en ik werd roze van tevredenheid als de 'face controller' haar om haar identiteitsbewijs vroeg om te controleren of ze wel meerderjarig was. Dan legde Sergei wat flappen neer zodat die bruut deed alsof Lena geen veertien was. Niet ik heb haar op de vlucht gejaagd, maar Sergei. Hij ging er prat op dat hij bizarre feesten hield waar de meisjes een badge moesten dragen met hun verkoopprijs erop. Hij bezit een fabriek voor moedermelk en een fabriek voor slaventranen. In de eerste fabriek worden meisjes die net zijn bevallen machinaal gemolken, waarna hij de moedermelk aan L'Idéal verkoopt. Dat heeft hij me een keer opgebiecht toen hij dronken was: zijn mysterieuze geheim van de eeuwige jeugd is doodeenvoudig moedermelk! Hij heeft patent aangevraagd op een methode om de Human Milk houdbaar te maken. Het schijnt dat je tien jaar jonger wordt als je het op je wangen smeert. Ik had Lena nooit met hem in contact moeten brengen: nu wil hij haar met kind schoppen om haar te kunnen melken! Zijn andere fabriek is nog unieker: er hangen meisjes met het hoofd naar beneden, die over het hele lichaam worden gegeseld met brandnetels, waarna hun tranen worden opgevangen in grote bakken. Die maagdensnikken verkoopt hij met hectoliters tegelijk, dat levert hem een fortuin op! Echt waar, en op internet verkoopt hij dvd's van de martelingen. De arme slavinnen produceren een enorme hoeveelheid tranen per dag. Het is angstaanjagend mooi, die hoeveelheid lijden die een bewakingscamera in een Tsjetsjeense hangar kan vastleggen. Op een van de opnames heb ik Sergei zelf zelfs herkend: hij leunt voorover naar een prachtig, naakt, hangend slachtoffer en fluistert in haar oor:

'Maak je geen zorgen, kleintje, binnenkort schenken we je de dood. Als je genoeg hebt opgebracht.'

Dan zie je hoe hij naalden in haar borsten steekt en de tranen met een pipet van haar gezicht opzuigt. Tranen die direct van de wangen worden gehaald zijn zuiverder. (In de opvangbakken worden ze verontreinigd met spuug, zweet, rochels en vaginavocht. De smaak van de gezichtstraan is veel beter, daar zijn alle liefhebbers het over eens.) De schaarste van het product is een gevolg van de gecompliceerde productiemethode. De lichamen van de huilsters moeten stevig en strak worden vastgebonden om ieder productieverlies te voorkomen. Een buisje tranen brengt op het net honderdvijftigduizend euro per tien milliliter op, duizend keer zo veel als kaviaar! Het wordt met een druppelteller gebruikt, one drop is enough! Het is een lauw, zilt vocht dat lustopwekkende eigenschappen heeft; sommige gebruikers druppelen het zelfs rechtstreeks op hun geslachtsdelen, als wijwater; erg opwekkend voor een orgie. Je kunt het ook gebruiken om simpele gerechten mee op te luisteren (blini's, zachtgekookte eieren, aardappels uit de oven) of cocktails mee te parfumeren. Tranenerotiek is wijdverbreid; het heeft zelfs een naam die is opgenomen in het *Woordenboek van perversies*: dacryfilie.

Ik heb Lena laten vallen, ik ben over haar heen gewalst, en op het moment dat ik haar verloor, begreep ik dat ze mijn laatste kans was. Lena is mijn boetedoening: ik ben verliefd geworden zoals je naar een vonnis luistert. Liefde begint altijd met angst. Ik wilde er meteen weer van af. Zonder dat ik het doorhad wilde ik uitvinden hoe ziek ik nou eigenlijk was toen ik Lena meesleepte naar het feest van Sergei de dacryfiel. Ik wilde weten of ik om haar gaf en ik werd op mijn wenken bediend: op het moment dat ze van me ging walgen, dat ik haar verraadde en weggaf, wist ik dat ik van haar was, maar toen was het al te laat, toen was ze al te boos op me. Laat me uitpraten, vader Jerochpromandrit! Ik had niet meteen door dat ik zo gek op haar was, of ik probeerde me te verzetten; ik dacht dat ze net als de anderen was, dat ze inwisselbaar was, dat ik haar heel snel zou vergeten, dat ik het fijn zou vinden om van haar af te zijn, dat het me zou opwinden om haar met een stelletje sadisten te zien neuken, net als René uit de *Histoire d'O* (u weet wel, die remake van het evangelie waarin Jezus is vervangen door een masochistische vrouw). Maar ik was degene die pijn leed, heel veel pijn zelfs, ondraaglijke pijn. Jaloezie is geen afrodisiacum: swingers zijn niet echt verliefd, anders zouden al hun seksfeestjes in bloedbaden eindigen. De reden dat ik u mijn lage streken opbiecht is dat ik haar terug wil vinden. U kunt zich wel voorstellen dat ik haar veel over u heb verteld, en ik weet dat ze zich hier schuilhoudt sinds die nacht in de datsja. Als u het niet voor mij doet, doet u het dan voor haar, haar familie, haar toekomst! Professioneel gezien staat ze op het punt om alles te verkloten. Mijn antwoordapparaat staat vol met aanbiedingen voor haar! Ze gaat haar carrière toch niet opofferen om haar jeugdige eer te redden? L'Idéal wil haar boeken voor twaalf campagnes in Parijs, Aristo wil haar vastleggen voor drie opnames in augustus, het hele modewereldje zit tegen het plafond vanwege haar aura, haar uitstraling, haar prerafaëlitische looks, en dat monster is ondergedoken, waarschijnlijk ergens in Moskou, want daar ben ik haar spoor bijster geraakt. We moeten koste wat het kost verhinderen dat ze bij Sergei blijft! Als u het niet voor mij doet, doe het dan om haar te redden. Ik weet wat er allemaal met haar zal gebeuren als we haar niet beschermen. In het beste geval wordt ze een verlopen cokeverslaafde, een feestbeest dat alleen over shoppen praat, een sterretje dat de bladen leest om te zien of ze erin staat, de vrouw van een impotente rijkaard, een bedrogen, verwaarloosde echtgenote, een manisch-depressieve prostituee met een pokdalige huid, oud, banaal en bedorven. Draagt ze een T-shirt met daarop de tekst DON'T TELL MY BOOKER of FUCK ME I'M FAMOUS. Al snel krijgt ze een pafferig gezicht van de Jack Daniel's. Een handtas vol tot buisjes opgerolde bankbiljetten. Een mond die naar oude asbak ruikt. En in het ergste geval sluit de Idioot haar op in zijn tranenfabriek. Moedermelk verkoopt minder goed dan jongemeisjestranen. En is minder gemakkelijk te produceren! Vrouwen die zijn bevallen kun je maar een paar maanden lang melken. Dus je kunt beter wat jonge meisjes uit Tsjetsjenië te ontvoeren – één telefoontje naar de vrienden van Kadirov, en Sergei kan in de dorpen halen wat hij wil – in een loods ophangen, ze de hele dag laten rillen van angst, en hun tranen in emmers opvangen. Dit revolutionaire ingrediënt zit ook in L'Idéals volgende crème. Terwijl ik hier zit, zijn de vrienden van Sergei vrouwen aan het kidnappen om de productie op te voeren. De Idioot is zelfs van plan om samen met Richard Branson 'Virgin Tears' te lanceren, wat op de markt gebracht zal worden in de vorm van een druppelflesje met een pipet, net als Rivotril. Hij heeft me alles verteld, op een avond na een speedball. Hij weet waarschijnlijk niet eens meer dat hij me al zijn geheimen heeft verteld, gezien de staat waarin hij toen verkeerde …

Wilt u dat Lena zo eindigt, opgehangen aan haar voeten en huilend in een snikkenpomp? VADER, LATEN WE HAAR SAMEN GAAN REDDEN. Ik ben er zo goed als zeker van dat ze u zal komen opzoeken, als ze dat nog niet gedaan heeft. Ik verzeker u dat ik bijna een goed mens was geworden. Ik geloof niet in uw God, maar ik zweer dat ik geloofde in Lena (het woord geloof komt van het Latijn 'fides', vertrouwen). Weet u nog dat u de laatste keer zei dat liefde iets kostbaars was? Ik antwoordde: liefde is een spel. U antwoordde scherp dat dat niet zo was, dat liefde een kwetsbaar mysterie is, een wonder, een wens. Ik wist dat dat de kern van het probleem was, dat ik op een dag mijn zoektocht naar het ultieme model zou vervangen door die naar het Opperwezen. Een God die mijn angsten zou begrijpen. Een God voor geobsedeerden, levensgenieters, depressievelingen, genieters en lafaards. Een nieuwe God die niet geld en niet seks was, een God die je moest vinden, een God die je moest scheppen, een God waarop ik niet langer wilde wachten. Ik wist dat ik het antwoord ergens hier, in het grootste land ter wereld, zou kunnen vinden. Bij iedere verkrachting dacht ik dat ik naar de stralende ster van schoonheid zocht, maar misschien zocht ik eigenlijk wel de Messias. Plato zegt het al in zijn *Phaedrus*: dorst naar schoonheid is een verlangen naar God. Ja, vader, om dat aan u te vertellen ben ik naar u toe gekomen: misschien is Lena Dojtsjeva niet de Heilige Maagd, maar Christus! Jezus is een Tsjetsjeense vrouw! Hoe bedoelt u 'wegwezen'? Ik kom boete bij u doen en zo beloont u mij? Goed dan, als u zo aandringt, maar gunt u Lena dan tenminste een Onbevlekte Ontvangenis: laat dat onschuldige kind de erfzonde niet met zich meedragen! Goed, goed, ik weet dat jullie orthodoxen je niet druk maken om die roomse uitvinding uit 1854, da, ik ga al. Au! U doet mijn arm pijn, vader! Laat me los, moezjtsjiena, ik weet wel waar de uitgang is. Maar ik kom terug naar uw parochie, zoals de Terminator zegt:. I'll be back! Halleluja, excellentie! Ik hoef alleen de Volchonkastraat maar over te steken en dan kan ik in het Poesjkinmuseum tot inkeer komen, want de jonge blommen van Renoir hebben nog meer erbarmen dan u. En geef die pot foie gras terug!

Jammer genoeg moet ik de belangrijkste zin van deze biecht dan maar in mezelf mompelen.

Jammer genoeg zult u hem nooit horen:

Ik heb bemind en ben bemind, maar nooit allebei tegelijk.

(bewijsstuk, toegevoegd aan het dossier van de Christus-
Verlosserkathedraal)

*Zondag. Wil maar één ding: weg uit dit rotland. Mijn leven is zo
saai als één lange zondag. Dat ik geen zelfmoord pleeg komt alleen
omdat ik al zo vaak gestorven ben. Te vaak heb ik mama afgerost
zien worden door dronken klootzakken, en dat heb ik niet overleefd. Als ze vertrokken, gaf mama me een draai om de oren omdat
ik zo hard krijste. Gewoonlijk eindigde het ermee dat we samen
huilden, ik zei red me en zij zei vergeef me, en ze streelde me over
mijn haar totdat ik eindelijk in slaap viel, verdronken in schuldige
tranen. Buiten sneeuwde het altijd. Ik overdrijf nauwelijks, kom
hier maar eens kijken, dan zie je het zelf.*

*Maandag. Het woord papa was taboe bij ons. Ik ben kort na de
val van de* USSR *geboren. Het is bizar om te bedenken dat ik niets
heb meegemaakt van al die dingen waar mama over vertelt: het
gemeenschappelijke appartement dat we deelden met twee andere
gezinnen, het om beurten douchen, de keuken met de opgedeelde
kastjes, alles ... Ik denk altijd dat zo'n gezamenlijk leven wel iets
heeft, dat je dan alles met elkaar doet, zoals in* Friends, *maar het
schijnt dat het lang niet zo grappig is als het niet anders kan. Je kon
niet kiezen met wie je terechtkwam en je moest altijd op je woorden
passen. Daarom is mama ook naar Frankrijk vertrokken om er
als serveerster te gaan werken. Door wat er met haar vader was
gebeurd, vertrouwden de anderen haar niet. Alsof zij daar iets aan
kon doen! En toen ze terugkwam, haatten ze haar nog meer. Niemand begreep waarom ze na de val van de muur naar Leningrad
terugkwam om er te bevallen. Haar vader (mijn grootvader) was
in 1937 vermoord omdat hij tijdens een herdenking een portret van
Stalin op de grond had gezet. Mama heeft altijd gezegd dat Stalin*

alle intelligente mensen in het land heeft vermoord, dat er alleen nog maar zuipende klootzakken en vechtjassen zijn. Toch was het haar niet gelukt om ergens anders te gaan leven (terwijl ik daar juist van droom). 'Het land herrijst uit zijn as.' Dat zei ze altijd toen ik nog klein was. Ze was jaren bezig om de kamers van de medebewoners een voor een terug te kopen, maar uiteindelijk zaten we met z'n tweeën in het appartement, het verminkte appartement dat als een puzzel in stukjes was gehakt en waar je over de diensttrap binnenkwam. Ik weet niet hoe het voor mijn geboorte was, maar ik heb niets zien herrijzen. Geen as, wel veel stof, overal, vuile sneeuw in de wind.

Dinsdag. Ik heb mijn vader nooit gekend. Mama verzekert me dat het een goed mens was, een mooie man, een verstandige, intelligente Fransman, maar dat hij zijn leven in Parijs had en zij er de voorkeur aan had gegeven om alleen te blijven. Ja, ik ben een bastaard, zoals ze het daar noemen. De dochter van een alleenstaande moeder. Ik zou best meer over hem willen horen, maar zij zorgt er altijd voor dat ze in tranen uitbarst voordat ze vragen hoeft te beantwoorden. Vandaag heb ik in een tijdschrift een uitspraak van de acteur Peter Ustinov gelezen: 'Ouders zijn de botten waarop kinderen hun tanden scherpen.' Mij ontbreekt het aan een vader om op te kluiven.

Woensdag. Vanochtend moest ik glimlachen omdat de zon scheen. Ik ben uitgeput. Ik heb een besluit genomen: ik ga niet meer masturberen. Ik ben bang dat ik slechte gewoontes aanleer. Ik wil niet te autonoom zijn in mijn genot. Ik wil dat ik iemand anders nodig heb om het nirvana te bereiken, ik wacht tot Vitaly er weer is.

Donderdag. Ik draag een T-shirt met de tekst BE TOUGH, *dat ophoudt boven mijn navel die ik van mijn moeder niet mag laten piercen. Vorig jaar heb ik een soort van adelaar-draak op mijn schouderblad laten tatoeëren en die moest ik van haar laten verwijderen! Die arme vogel heeft maar twee dagen op mijn schouder gezeten … Klote, want het met laser verwijderen van een tattoo is nog pijnlijker dan hem laten zetten. Ik ben in mijn eentje opgegroeid. Ik heb mezelf grootgebracht, als een kind in de wildernis.*

154

Mijn moeder was er nooit, ze werkte de hele dag in een restaurant, ik zag haar vroeg vertrekken en laat thuiskomen. Af en toe waren er kortstondige stiefvaders die met me ontbeten en dan zag ik mama 's avonds bij het avondeten in een intiem tête-a-tête met haar eenzaamheid. Is het grootmoedig of egoïstisch om een kind te houden waarvan je weet dat het in haar eentje op zal groeien in een klein appartement? Allebei. Mijn moeder heeft zich opgeofferd door mij op te offeren. Ik vraag me af of ik in staat zou zijn om hetzelfde te doen. Iemand een leven schenken vergt dat je je eigen leven vergeet. Tanja denkt er hetzelfde over. (Tanja is mijn beste vriendin op school.) Dat soort slavernij bestaat niet meer. Wij willen iets bereiken, onze gaven gebruiken om ons lot vorm te geven. Wij krijgen geen kinderen, dat is de enige manier om forever teen te blijven. En bovendien pas ik drie of vier avonden per week op een baby en eerlijk gezegd vind ik het bullshit om een kind te maken dat je daarna laat opvoeden door een au pair. Ik heb het gevoel dat die baby meer van mij houdt dan van zijn eigen moeder: da's niet zo verwonderlijk, want hij ziet mij vaker dan haar. Ik stop hem in bad, breng hem naar bed, ik kietel hem, zing liedjes van Avril Lavigne ... Ik voel me depri om hem, ik voel zijn verlatenheid, omdat ik hetzelfde heb meegemaakt. Ik bijt op mijn nagels omdat ik het fijn vind om als een baby met mijn vingers in mijn mond te zitten.

Vrijdag. Mijn moeder heeft een vibrator in de vorm van een lippenstift, die heb ik in haar nachtkastje gevonden. Ik ben zenuwmoe. Ik heb hem de hele middag gebruikt, heel uitputtend, het is als een draagbare drug die nooit opgaat en niks kost. Ik schaam me voor de walgelijke dingen waaraan ik denk om klaar te komen, en daarom zal ik ze hier niet vertellen. Op mijn elfde heb ik het orgasme ontdekt door mijn dijen tegen elkaar te wrijven. Maar dit, dit ... met dit helse apparaat ... Ik kwam vuurrood en onder het zweet in de keuken om het avondeten klaar te maken, met mijn onschuldige engelenkopje. Ik sloeg een kruis om het eten te zegenen en boete te doen.

Nog steeds vrijdag. Ik heb berekend dat ik een kwart van mijn

leven voor de televisie heb doorgebracht. Ik weet niet of ik hem
liever kapot zou slaan of er in zou kruipen. Vandaag heeft mama
een telefoontje gekregen van vader Jerochpromandrit uit Moskou,
een oude vriend van haar. Hij kent de man die de casting doet voor
de Aristo Style Contest. Over dat soort kleine debieltjes die met
hun reet staan te schudden voor een stel oude smeerlappen denk ik
hetzelfde als over de televisie. Ik wilde er niet naartoe, maar goed.
Het is of dat, of mijn natuurkundeles, mijn dodelijk saaie leven,
mijn spookstad ... Het kan geen kwaad om het te proberen. Ik zal
jullie er alles over vertellen op deze site. Ik zal foto's online proberen
te zetten, als het me lukt om ze te uploaden. Ga anders eens kijken
naar de foto's van Sasha Gachulinkova door Elina Kechicheva, die
zijn ook niet slecht (toooo gorgeouuuus!!), om nog maar te zwijgen
over Irina Kulikova en Ekaterina Kiseleva. Google die dames eens,
ik denk dat ze jullie wel zullen bevallen! Als jullie daarna maar
wel weer terugkomen, ik werk dit blog regelmatig bij.

Zaterdag. Ik wil jong sterven, maar nu nog niet. Ik wil beroemd
worden. Mama pest me. Toch komt het door haar dat ik het gewoon
vind om vereerd te worden. Haar godsdienst knielt voor iconen.
Het is geen zonde om een icoon te willen worden. En bovendien
heb ik via haar van deze wedstrijd gehoord, en heeft zij me maan-
denlang naar de orthodontist gesleept voor ringen om mijn tanden
en draden die in mijn tandvlees sneden, en roze gevalletjes, klef en
smerig van het speeksel, en alles om mij de mooiste glimlach van
de buurt te geven. Ze kan me nu niet verwijten dat ik haar orale
investeringen te gelde wil maken. En je kunt beter meelopen in
modellendefilés dan in militaire marsen. Kortom: wat ik wil weet
ik niet, maar ik zal het krijgen!

Zondag. De casting is volgende week dinsdag in Hotel Europa.
Tanja en ik hebben de hele dag kleren gepast. We hebben ons op-
gemaakt als gothic lolita's, lachen was dat. Ze is stapelgek: ze heeft
alle lingerie van haar grote zus gejat. We hebben lesbische nymfo-
manen gespeeld, maffe foto's gemaakt waarin we gekleed zijn als
kamermeisjes, of bijna naakt, maakt allemaal niet uit. Ze is er-
van overtuigd dat ik ga winnen. Goed, wij mogen dan twee hotte

manga maids zijn, maar helaas voor jullie, lieve lezers, lukt het me nog steeds niet om foto's te uploaden, en bovendien zouden die alle geheimzinnigheid uit mijn blog halen. Ik laat jullie liever fanta-seren over hoe we elkaar op bed kusten, gekleed in pasteltinten en roze linten ... rijglaarsjes ... onze voorhoofden die verhit raakten te midden van de teddyberen.

Maandag. Een blog bijhouden is ook een vorm van exhibitio-nisme, misschien nog wel erger dan halfnaakt over een podium pa-raderen ten overstaan van een stelletje Franse maniakken.

Dinsdag. De ontmoeting in Hotel Europa is erg goed verlopen. De organisator heet Octave. Hij heeft me beloofd dat ik zal win-nen, op voorwaarde dat ik doe alsof ik Tsjetsjeens ben; hij vroeg zelfs of ik meeging naar zijn hotelkamer om foto's te maken. Het is een echte gentleman, hij zei dat mijn benen twee pijlen waren die in zijn hart staken. En ook dat mijn schoonheid te groot was, dat hij een bril moest kopen die beschermt tegen uvb-stralen (Ultra Violent Beauty). Ik zei een dichtregel van Baudelaire voor hem op die ik in het Frans ken: 'Ik ben zo schoon, o stervelingen, als een droom van steen', en toen stond hij met zijn mond vol tanden om-dat ik een paar woorden in zijn taal wist uit te brengen. Ik legde uit dat mijn moeder in Frankrijk heeft gewoond. Tanja heeft hij geen plaats op het erepodium beloofd, en ze is woedend. Een rotsfeer in de Onegin 's avonds. Uiteindelijk stonden we op straat te schelden en joints te roken. Om haar te kalmeren zei ik dat ik voorspraak had gekregen van een priester uit Moskou.

Woensdag. Iedere keer dat Tanja over mijn geliefde Vitaly be-gint, voel ik dat ik begin te blozen en ga ik mijn veters strikken. Het is een pavlovreactie geworden. Iemand hoeft alleen zijn naam maar te zeggen en ik kniel al neer, met mijn hoofd naar de grond, naar mijn Converses, om mijn granaatrode gezicht te verbergen. En toch heb ik me in de Zomertuin door de Fransman laten kus-sen. We hebben de hele dag gewandeld, we zijn met de taxi naar de Peterhof gegaan, ongelooflijk zo verlegen als hij is in vergelijking met de jongens uit mijn klas. Ik heb hem meegenomen naar Roes-kaja Ribalka, een restaurant aan zee waar de gasten hun eigen vis vangen en daarna opeten. Hij begon te huilen toen we door het park van de residentie van Peter de Grote liepen. Ik moet toegeven dat ik hem een beetje zat op te geilen door me nat te laten sproeien door de verrassingsfontein in de vorm van een dennenboom, daar waar je naar een grote rode bloem toe loopt waar dan opeens een waterstraal uitkomt die je drijfnat spuit. Wat een lolbroek, die tsaar! Honderdduizend doden in ruil voor een paar studentengrappen. Octave vond het aanvankelijk grappig, maar op een gegeven moment begon hij me met een serieus gezicht aan te staren, en toen begreep ik dat het menens werd. Ik wil niet opscheppen, maar ik ben gewend geraakt aan deze fase: zodra een jongen ophoudt met lachen en me aanstaart zonder met zijn ogen te knipperen, met de doordringende, melancholische blik van een aanbidder, weet ik dat de problemen beginnen. Met zijn haren door de war, de wallen onder zijn ogen en zijn zwarte jasje deed hij me denken aan Raskolnikov, wanneer de dronkaard in de herberg aan het begin van het boek tegen hem zegt: 'Ieder mens moet weten waar hij naar op weg is.' Ik snap het niet, ik begrijp niet waarom Octave zich meer voor mij interesseert dan voor andere meisjes. Alsof hij niet ziet dat ik wispelturig, ordinair, hebzuchtig, zwak, en bovendien belachelijk en banaal ben. Als hij weer eens tegen me zegt dat ik 'sjikarno' ben en dat mijn borsten zo stevig zijn, als hij me zijn 'Bron van de jeugd' noemt weet ik niet of hij me in de maling neemt of dat hij het meent. Misschien maakt het niet uit, zolang we samen een leuke tijd hebben. Zoals alle depressievelingen loopt hij de hele tijd te zuchten, als een uitgeputte jogger. Wat vreemd dat oude mensen romantischer zijn dan wij. Al die tijdverspilling! Misschien is het een soort drug: ze worden high van hun gevoelens. Misschien ben ik daarom altijd omgegaan met jongens die veel ouder zijn dan ik, heb ik vanaf mijn dertiende joints gerookt, en vorig jaar xtc en seks geprobeerd. Ik wil ouder zijn omdat ik vrij wil zijn. Ik heb niet echt een kindertijd gehad, toen ik acht was snoof mijn moeder in mijn bijzijn coke, iedere ochtend zwierf er bij het ontbijt weer een nieuwe jonge gozer in boxershort door de keuken die mijn muesli jatte, ik was agressief, ik loog en ik stal, werd van iedere school getrapt, en nu ben ik een baby in een vrouwenlichaam met een kindergezicht en een hart dat diep zit weggestopt, dat ik te veel bescherm en dat alleen maar vraagt om met tranen te worden gevuld. Ik voel dat het slecht met me zal aflopen, maar nu nog niet, alstublieft, nog even, Meneer Beul.

Donderdag. Oljenka zit me al de hele dag te pesten, 'daar hebben we het sterretje', 'hello baby Vodianova', dat soort dingen. Tanja is nog steeds boos op me dat ik toch aan de parade mee wil doen terwijl Octave haar heeft weggegooid als een oude blini. Ik vertel haar tot gekmakens toe dat hij me heeft uitgekozen omdat ik bereid was om te doen alsof ik een Tsjetsjeentje ben: aangezien de wereld geen zak om ons geeft, moeten wij hetzelfde maar doen.

Vrijdag. Morgen sta ik ten overstaan van heel Sint-Petersburg voor gek. Waarom heb ik altijd het gevoel dat de hele wereld plezier heeft, behalve ik? Zeggen andere meisjes precies hetzelfde of is er iets mis met mij? Het doet er ook niet toe: ik weet dat ik heel gelukkig ben wanneer ik de hele middag naar Michelle Branch luister, liggend op het gras van de Aleksandrovskituin en denkend aan de Fransman. Hij heeft gezegd dat ons leeftijdsverschil niet anders is dan tijdsverschil. Ik zie dat de jongens ophouden met praten als ik bij Tiffany's op de Nevski Prospekt ga zitten. Ze proberen aardig te doen, maar ik zie hun ongeruste blik. Morgen misschien ... Ik wil niet dat hij denkt dat ik enige gevoelens voor hem heb. Mijn leven mag best veranderen, maar als het hetzelfde blijft, vind ik het ook best. Ik heb altijd nog de liedjes op mijn mp3-speler en mijn moeder; gisteravond zag ik haar tot vijf uur 's ochtends dansen op Jerry Lee Lewis, het Plein van de Kunsten zal er altijd zijn en de kleine bruggetjes over de grachten ook, waar ik totdat het weer licht wordt op kan zitten en skunk rook met Tanja, en de Spas na Krovikathedraal, gebouwd op het bloed van Alexander II, op 1 maart 1881 vermoord door de bom van een terrorist. Het lijkt wel een pistache-vanille-aardbei-ijshoorntje dat over de toeristen in korte broek heen smelt.

Zaterdag. Sorry dat ik geen tijd heb gehad om mijn blog bij te houden met alles wat er gisteren is gebeurd. Ik zal de gebeurtenis-

sen van de dag op volgorde proberen te vertellen, zonder iets over te slaan, maar dat zal niet makkelijk zijn, er is zo veel gebeurd in zo weinig tijd ... Goed, ten eerste heb ik de Aristo Style of the Moment-wedstrijd gewonnen! Daarmee horen jullie niets nieuws, het stond in alle kranten. Ik ga naar Parijs om reclamefoto's te maken voor L'Idéal! De ceremonie was afschuwelijk, ik zag niets met al dat flitslicht, ik dacht dat ik flauwviel en boven op de jury zou belanden! Mama huilde, ik huilde ook, Octave schreeuwde in de microfoon, iedereen applaudisseerde voor Miss Tsjetsjenië in Petersburg, surrealistisch gewoon. Toen ben ik begonnen met drinken, ik voelde me nogal beroerd op de tegelvloer in de coulissen. Ik bekeek mezelf in de spiegel op het toilet en toen flipte ik in m'n eentje: wat deed ik daar helemaal en dan had ik nog gewonnen ook; ik walgde ervan. Mijn moeder barstte opnieuw in tranen uit toen ik haar aan Octave voorstelde. Ze heeft echt rust nodig, dat overemotionele mamaatje van me ... Octave kwam mijn kleedkamer binnen en ik zei: 'Mama, mag ik je voorstellen aan de man die deze avond georganiseerd heeft? Octave, dit is mijn moeder.' In plaats van hem te bedanken slaat ze haar handen voor haar gezicht en rent weg! Ze is gek! Hoe zou ik normaal kunnen zijn met zo'n moeder?

Later had Octave het erg moeilijk toen ik op het podium mijn overwinning opdroeg aan Vitaly, mijn surfende vriendje, die zes maanden lang op Antarctica aan het snowboarden is. Dus uiteindelijk baalde iedereen toen ik die kutprijs had gewonnen! Octave ziet er jonger uit dan hij is. Hij doet of niets hem kan schelen, maar zijn blik is zo triest dat je hem in je armen wilt nemen en hem gerust wilt stellen. Ik wilde hem zeggen: 'Als je wilt, kan ik je redden, ik kan je meenemen, ver van hier, maar ik ga niet met je naar bed.' Idioot, ik weet het, maar ik geloof dat hij echt verliefd op me is. Op een keer, dat was ik nog vergeten te vertellen, vorige week, hebben we een nacht samen doorgebracht, ik had tegen mama gezegd dat ik bij Tanja bleef slapen, maar eigenlijk zat ik op zijn hotelkamer naar Desperate Housewives *te kijken, maar Octave had slaapmiddelen genomen en dus is er niets gebeurd, en ik weet niet of ik dat gewild had of niet ... Ik weet dat ik Vitaly trouw ben gebleven, maar mis-*

schien was ik wel bezweken als hij iets had geprobeerd. Octave zei dat hij te veel van me hield om me te bruuskeren, dat we later alle tijd van de wereld zouden hebben, dat hij geen haast had. Toen begon hij te zweten en allemaal walgelijke dingen te zeggen: 'Denk je dat ik wil neuken met een rubberen sok over mijn pik? Nou? Je begrijpt er niets van! Ik wil dat je me stevig tegen je aandrukt en me uitlegt hoe we samen gelukkig gaan worden!' Dat soort onzin. Nou, ik schrijf het hier op omdat dit toch een phrase collector is. Maar terug naar Miss Aristo. Na de overwinningscocktail gaf hij me nog een Russky Standard te drinken ... Hij wilde dat we deden alsof we gingen trouwen, in zijn suite. Omdat ik dronken was, heb ik een witte jurk van Isabel Marant uit de garderobe van Aristo gejat en hem een ander zwart overhemd en een nieuwe spijkerbroek gegeven (hij bleef dus hetzelfde gekleed, maar dan schoon). Hij gaf me een knipperende verlovingsring en ik gaf hem mijn marihuana-armband. Toen vond ik het wel grappig en deed het me niks, maar nu ik erop terugkijk was dat nephuwelijk best luguber.

'Elena Olgavovna Dojtsjeva, scholiere, neemt u Octave Marie François Parango, werkloos reclamemaker en rokkenjager, alhier aanwezig, tot uw echtgenoot?'

'Moet ik even over denken ...'

'Absoluut niet!'

'Goed dan, da.'

'Octave Marie François Parango, stiekeme nicht, schrijver en vleessmokkelaar, neemt u Elena Olgavovna Dojtsjeva, dikwijls spijbelend scholiere, alhier aanwezig, tot echtgenote, en belooft u haar trouw te zijn en warm te houden tot de dood erop volgt?'

'Even zien ... Kunt u de vraag herhalen?'

'Val dood!

'Ja!'

Na de uitwisseling van ons ja-woord voor de badkamerspiegel gooiden we rijst over ons heen, het lag overal, zelfs in het halletje! Hij vroeg me om met hem te slowen. Ik koos 'Everytime' van Britney Spears op zijn iPod Bose (ik ben gek op die clip waarin ze in bad zit en haar polsen opensnijdt). Sinds ik hem heb uitge-

legd dat Lenotsjka 'kleine Lena' betekent, zegt hij aan één stuk door Lenotsjka, Lenotsjka, alsof hij niet goed wijs is. Hij is echt een verbazende vent. Zo iemand als hij heb ik nog nooit ontmoet. Hij lijkt wel een kind dat domme dingen doet; ik lijk wel ouder dan hij! Ik moet soms keihard om hem lachen. Toen hij zei dat hij van me hield, zei ik voor de grap dat ik ook van hem hield, maar volgens mij maakte hij geen grap. Gênant, maar ik geloof dat ik het fijn vind dat er zo veel van me gehouden wordt, het voedt me, het geeft me kracht. Mijn moeder heeft me vaak gewaarschuwd voor mannen die te snel liefdesverklaringen afleggen; dat zijn de gevaarlijksten, die doen je veel meer pijn dan mannen die je alleen maar willen bespringen. Ze voeren je dronken met mooie praatjes tot de ochtend komt, vergelijken je met de Venus van Cranach of Jessica Alba, ze raden je sterrenbeeld, vooral als het Maagd is, laat ze je tijd niet verspillen, zegt mijn moeder. Ik mag zijn stem graag horen als hij naast me loopt en me dingen uitlegt, het leven lijkt duidelijker als hij er is, simpeler, en ook leuker. Ik kijk naar zijn versleten jack en ik heb het gevoel dat alles gemakkelijk is. Als hij me kust, doe ik soms mijn ogen open om te zien of hij de zijne wel dicht heeft. Maar aangezien hij hetzelfde doet, lijken we wel een stelletje debielen, zoals we elkaar met wijd opengesperde ogen staan te kussen. Dus doen we ze weer dicht, en daarna weer open, alweer tegelijk. Dan moeten we lachen. Het slaat nergens op. Ik wou dat hij een vriend van me was, een oudere, ervaren vriend die hielp de wereld te ontdekken. Ik heb met Octave gepraat over het feit dat ik geen vader heb, hoe moeilijk het was om zonder hem groot te worden en kapotjes op de vloer van mijn moeders slaapkamer te vinden zonder te weten waar die plastic zakjes met ingedikte melk voor dienden. Hij vertelde me een verhaal waar ik om moest huilen, van een kind dat zijn vader voor zijn ogen een hartinfarct ziet krijgen. Het kind is een jaar of vier, het is te klein om direct te begrijpen wat er aan de hand is, het probeert de oogleden van zijn vader omhoog te schuiven, aan zijn arm te schudden en hem te kietelen. Na een tijdje krijgt hij door dat zijn vader niet meer gaat bewegen. De kleuter neemt zijn vader in zijn armen, het is de omgekeerde wereld. Dan begint het kind te snikken, het roept om hulp, het is wanhopig. Het kust het gezicht van zijn onbeweeglijke vader ... En op dat moment doet de vader een oog open en begint te lachen. Het was een grap, hij deed maar alsof hij dood was, hij zou hem toch niet zomaar in de steek laten? En terwijl hij mijn tranen droogde, zei hij dat hij me zojuist het verhaal van Jezus had verteld. Het was de eerste keer dat ik er iets van begreep. Jezus is niet de zoon van God, maar onze Vader. Een Vader die er niet is, die naar de hemel is vertrokken maar die nog wel leeft, die niet dood is. Hij nam me mee naar een feest bij de oligarch, ik was ladderzat, ik herinner me dat Sergei fooien van tienduizend dollar gaf, zo veel bankbiljetten bij elkaar had ik nog nooit gezien. In de auto sloeg hij allerlei onzin uit: 'Adam en Eva zaten in het paradijs en met hun vleselijke lichamen hebben ze het verpest. Ze hadden het goed, ze waren naakt als robots, maar ze beseften niet dat ze naakt waren, en God zei dat ze niet van de boom in de Hof van Eden mochten eten; maar het eerste stelletje was even dom als alle volgende, die twee sukkels wilden een vrije wil hebben en daarom zitten wij nu tot onze nek in de stront. Daarom worden we er al sinds het begin van de wereld ingeluisd, door die godvergeten vrijheid die ons kapotmaakt; vergeet nooit de lijfspreuk van Felix Dzerzjinski: "Als u nog in vrijheid bent, betekent dat niet dat u onschuldig bent, maar dat wij ons werk niet goed hebben gedaan."'

De inrichting van het huis van Sergei was gebaseerd op kandelaars en platte beeldschermen, lichte gordijnen en witte bedden, ik heb nog nooit voet gezet in zo'n mooi huis, nog nooit zo veel sublieme mensen gezien. Octave verdween. Ik begreep er niets van. Ik heb hem niet meer teruggezien. Ik wil hem niet meer terugzien. Ik geloof dat er slaapmiddel in mijn glas zat, wie dat heeft gedaan weet ik niet, hij waarschijnlijk, ik begrijp het niet, hij kwam vol grote woorden mijn leven in en nu is hij verdwenen en heeft me moederziel alleen achtergelaten, de klootzak; hij is een sadist en nog impotent ook, en ik kan niet wachten tot mijn echte vent weer terugkomt.

Wat er daarna is gebeurd, kan ik me niet herinneren; iemand moet me naar huis hebben gebracht want ik werd wakker in mijn

eigen bed. Met de kleren van de vorige avond nog aan, walgelijk!
En die debiele trofee op mijn nachtkastje (Eigenlijk herinner ik me
wel een paar dingen, maar ik schaam me te diep om ze te vertellen.
Ik ben heel vaak klaargekomen, gillend als een speenvarken).

Maandag. Ik ben veertien jaar en drie maanden oud; Octave zei
dat dat de leeftijd van Julia van Shakespeare is. Hoe dan ook, Jerry
Lee Lewis, het idool van mijn moeder, is met zijn nichtje Myra
getrouwd toen ze dertien was. Toen ik dertien was, stopte ik watten
in mijn beha om de disco binnen te komen. Ik rookte de hele dag
joints op school, ik slikte xtc maar gebruikte nooit coke (heb mijn
moeder te veel slechte trips zien krijgen). Ik heb altijd rondgehangen
met gozers die veel ouder waren dan ik, ik haatte school, ben er tien
keer van afgetrapt, ik was agressief omdat ik zo verlegen was, ik
loog altijd en stal uit winkels: een ware klepto-mythomaan! Ik ben
op mijn dertiende ontmaagd, ladderzat, ik dronk heel veel, zoals al
mijn klasgenoten; mijn vriendjes waren surrogaatvaders; ik leg dit
allemaal even heel snel uit om te verklaren waarom ik niet getrau-
matiseerd ben door die avond bij Sergei. Ik dacht vaak: ze laten me
de Onegin binnen en ik word nog niet eens ongesteld. Ik loog over
mijn leeftijd, zei dat ik zeventien was, kleedde me en maakte me op
alsof ik ouder was, met zwarte ogen, heel hoge hakken en heel korte
rokken. Ik liet de jongens vaak in de steek om niet met ze naar bed
te hoeven. De meisjes uit mijn klas hadden op hun dertiende al-
lemaal al geneukt, maar ik had geen vriendinnen, mijn schoonheid
maakte hen jaloers en mij asociaal, en aangezien ik vaak van school
veranderde had ik sowieso geen tijd om aan iemand gehecht te ra-
ken. Het afgelopen jaar heb ik mezelf gedwongen om met iemand
naar bed te gaan, zonder ervan te genieten, en ik was erg opgelucht
toen ik ervanaf was. Hoe dan ook, ik heb zin om naar Tasjkent te
verhuizen. Daar kun je voor honderd dollar per maand leven als
een prins in een huis vol bediendes. Het eten is er heerlijk, de men-
sen zijn beleefd en het weer is er goed; ik heb Vitaly geschreven dat
we in Tasjkent gelukkig zouden kunnen zijn, dat ik zijn Oezbeekse
prinses zou kunnen zijn, ik heb me immers ook al uitgegeven voor
Tsjetsjeens topmodel. Ik moet hier weg. Mijn contract met L'Idéal

is getekend, ik heb het vliegticket op zak. Sergei valt me lastig op mijn mobiel. Mijn new life gaat beginnen … Ik zal dit blog weer bijwerken zodra het kan, en zo niet: vaarwel, en sorry dat ik jullie zomaar in de steek laat, al mijn fans en groupies! Nitsjevo strasjnovo… (het maakt niet uit, het geeft niet …)

'Hij was verdwaald, ik zocht mezelf, het was een fatale ontmoeting. Nee, niet de zweep, alstublieft, ik zal me gedragen, gebruik mijn mond en laat me gaan, ik ben niet verantwoordelijk voor deze tragedie, ik ben geen Tsjetsjeense, dat was een leugen om L'Idéal tevreden te stellen, en bovendien: ook al was ik Tsjetsjeense, dan ben ik nog niet AUTOMATISCH een "sjahied". Mag ik bellen? Ik ken zeer hooggeplaatste personen, ik wil geen moeilijkheden en als u die ook niet wilt kunt u me maar beter laten gaan! (…) Ik heb er niets mee te maken, behalve dan dat ik die Fransman ken die me heeft gecontacteerd via een orthodoxe priester die mijn moeder in Parijs heeft ontmoet toen ze daar als serveerster in een restaurant werkte. Hij stelde me een internationale carrière in de modellenwereld voor. We hebben elkaar een paar keer gezien. Ja, we hadden een relatie, maar die was puur platonisch. Het was een charmante man, hij leek erg ingenomen met me, ik ben nog heel jong, hij heeft me een eindje meegevoerd met zijn romantische waanzin, het leek wel een film, nou, dat denk ik, ik weet het niet meer, u doet mijn rug pijn, alstublieft, zegt u tegen die geile meneer dat hij niet meer moet kijken, mag ik mijn bloes weer aan? Ik hoef toch niet in mijn blote borsten te zitten om uw vragen te beantwoorden? (…) Octave heeft me gered, ik weet dat niemand dat wil horen, maar het is zo. Zoals de oude vrouw in Titanic zegt: "Hij heeft me gered op alle manieren waarop een mens een ander mens kan redden." Op één na. Ja, ik kan zeggen dat ik een kleine crush op hem had, maar niet meer dan dat. We hebben een beetje geflirt in zijn hotelkamer, verder niets, hij zei dat ik hem intimideerde, dat ik te jong was, dat hij wilde wachten tot het legaal was. Ik kon niet weten dat hij zo gestoord was. Hij was kalm en attent, totdat hij onze geschiedenis beëindigde zonder het mij te laten weten, op een avond bij Sergei Orlov, de chairman of the board van Oilneft. Toch was hij het die erop stond om me mee te nemen naar zijn vriend. Ik wist niet dat hij tot jaloezie in staat was; toen hij Sergei aan me voorstelde vroeg die aan hem: "Zijn jullie samen?" en toen antwoordde Octave: "Nee, we zijn gelukkig." Ik weet dat hij me daarna meermalen bij mijn moeder heeft proberen te bereiken, maar ik zat met Sergei in Courchevel en ik had een nieuw mobiel nummer. Hij dacht vast dat hij het door die misdaad te plegen weer goed met me kon maken, ongeveer zoals die gek die de president van Amerika neerschoot om Jodie Foster voor zich te winnen. Dat afschuwelijke verhaal heb ik van mijn moeder gehoord (gesnik). Ik kan niet begrijpen wat er in het hoofd van die Fransman moet zijn omgegaan. Het is verschrikkelijk … Hij leek zo intelligent, hij had mooie handen, ik snap het niet, hij kuste als een meisje … Nou, met zijn baard gaf hij me vooral het gevoel dat ik een jozjik (egel) kuste … Wat had ik moeten doen? Hoe had ik kunnen weten dat hij zo ver zou gaan? Nu is mijn carrière verwoest, ik ben verloren, ik kan het wel schudden in dat wereldje, wat moet er van me worden? Ik kan er ook niets aan doen wat er die afschuwelijke dag is gebeurd. Ik ben geboren voor het ongeluk. Mijn moeder huilt aan één stuk door, mag ik haar niet zien, zij was trouwens degene die zei dat ik naar die afspraak moest gaan, misschien zou u haar moeten ondervragen … Olja doet heel vreemd sinds het drama, ze sluit zich op in haar kamer en zit de hele dag te bidden, alsof het haar schuld is. Ik kan haar niet troosten, die Oljenka van mij … Ze haat Octave, ze neemt het hem enorm kwalijk, ik ook trouwens, hij leek zo aardig, waarom heeft deze rampspoed juist onze familie moeten treffen? (stilte) Gelukkig is Sergei er nog, jullie kunnen hem bellen maar hij zal uw vragen niet op prijs stellen, u kunt beter een andere toon tegen me aanslaan. Wat is uw dienstnummer? Nee, ik zie niet in waarom Sergei iets te maken zou hebben met die aanslag, het is 1999 niet, we hebben nu geen smoes nodig voor een aanval. Au. AU! Hou op, het was maar een grapje, ik weet niet meer wat ik zeg, ik

ben zo moe … (…) Alstublieft meneer, maak me los, wees aardig,
ik wil alleen maar een glas water zonder polonium, ik heb al twee
dagen niets gedronken en niet geslapen, mag ik mijn kleren terug,
spassieba, nee, heb medelijden, niet meer met die tuinslang slaan,
ik … ik werk mee, alleen een glas water, in godsnaam. Mijn polsen
en mijn buik doen pijn, ik heb kramp, ik wil niet dat die andere
meneer terugkomt, alstublieft, de vorige keer heeft hij mijn borsten
heel erg pijn gedaan met die elektrische klemmen… '

(vertaald door Igor Sokologorski van de Franse ambassade te Mos-
kou).

*Ik heb Octave Parango leren kennen door tussenkomst van een
Corsicaanse vriend die me een van mijn jachten en mijn huis in
Porto-Vecchio heeft verkocht, waar ik nog niet de tijd heb gehad
om te vertoeven. Hij was op zoek naar nieuwe rekruten voor een
Frans-Amerikaans modellenbureau. Ik bood hem mijn hulp aan
omdat ik zelf aandeelhouder ben van een aantal communicatie-
bureaus in Moskou en Sint-Petersburg. Ik heb wiskunde gestudeerd, ik wist niet dat ik leraar economie zou worden en daarna
bankier en industrieel, ik ben begonnen als schoonmaker, ik heb
mezelf in de jaren negentig grootgebracht dankzij het "leningen
voor aandelen"-systeem en ik ben niemand iets verschuldigd. Het
petrochemische en metallurgische conglomeraat Oilneft is eigenaar
van diverse fabrieken van cosmetische bestanddelen, die met name
leveren aan Virgin Tears en L'Idéal International. Via de woord-
voerder van dat laatste bedrijf heb ik Parango in het laatste half
jaar meermalen ontmoet (hij rekruteerde meisjes voor hun leading
brand) maar nooit is hij tegen mij of in aanwezigheid van mijn
naasten begonnen over zijn gruwelijke project. Ik wil benadrukken
dat ik absoluut niets wist van zijn juridische antecedenten, in het
bijzonder dat hij in Frankrijk een gevangenisstraf had uitgezeten
wegens medeplichtigheid aan een moordzaak in de Verenigde Staten (de moord op Mrs. Ward, dossier bijgevoegd als bijlage 99F).
Iedere keer als hij kritiek had op Rusland dacht ik dat hij de lolbroek uithing, de artiest, de salonsocialist (hij had een pamflet tegen
reclame gepubliceerd, en volgens mijn informatie was hij opgetreden als adviseur van de kandidaat voor de Franse communistische
partij bij de presidentsverkiezingen van 2002). De wapens die hij
uit mijn Petersburgse woning heeft ontvreemd, lagen veilig opge-*

borgen in een kluis: ik weet niet hoe hij er binnen heeft weten te dringen. Ik heb de FSB *en de Moskouse politie direct een lijst aangeboden van de medewerkers van mijn bewakingsdienst, voor het geval die elementen het onderzoek van nut zouden kunnen zijn, aangezien het niet is uit te sluiten dat er zich onder mijn eigen beveiligingspersoneel medeplichtigen bevinden. De board van Oilneft houdt zich volledig ter beschikking van de autoriteiten, zodat er licht kan worden geworpen op de ernstigste terroristische aanslag in Moskou sinds 2002. Oilneft weerlegt formeel alle geruchten over het bestaan in Tsjetsjenië van een zogenaamde fabriek voor de winning van moedermelk en van een productiefaciliteit voor menselijke tranen in Komsomolsk die werkneemsters tegen hun zin gevangen zou houden om hun productie te verkopen als anti-agingproduct. De beschuldigingen uit de* Novaja Gazeta *zijn groteske verzinsels: banden met sadomasochistische internetsites over marteling en kruisiging van jonge vrouwen (extremepain.org, whippedass.com, extremebrutality.com, inhumansadism.com, executionsofvirgins, teentittorment en crucifiedteens) zijn nooit vastgesteld of bewezen, en in mijn hoedanigheid als president van Oilneft weerleg ik ze formeel. Wat betreft fragilehostage.com, unwantedfuck en freshrussiantears, die zijn gedeponeerd door een dochter van het consortium die sm-dvd's met pornografisch karakter op de markt brengt, waaraan alle medewerkers vrijwillig meewerken en meerderjarig zijn. Dit lasterlijke gerucht is een ontoelaatbare puriteinse poging om dit bedrijf te ontwrichten, gericht tegen de goede naam van de door ons bedrijf gevoerde merken, en zal als zodanig worden bestreden bij de bevoegde instanties, zowel in de Russische federatie als daarbuiten (de zaak is bij het Europese Hof van Justitie reeds aanhangig gemaakt door L'Idéal International). Ik heb niets toe te voegen over deze zaak, die me schokt en die ik betreur, zoals alle inwoners van deze stad, in het bijzonder de orthodoxe gemeenschap waarvan ik deel uitmaak, evenals mijn familie en mijn naasten, wier verdriet u zich kunt voorstellen. Ik herhaal dat ik ondanks mijn Joodse afkomst sinds 1994 een van de oprichters ben van het donateurscomité dat zich heeft beziggehouden met de financiering* van de Christus-Verlosserkathedraal. Laat mij een gedachte van solidariteit en affectie uitdrukken voor de familie van de slachtoffers van deze afschuwelijke, destructieve, godslasterlijke daad. Ik sluit me aan bij de gebeden van het gehele Verenigde Rusland en betuig mijn onwrikbare steun aan president Poetin en zijn strijd voor de waarheid. Op een dag zullen wij een manier moeten vinden om het heilige moederland te ontdoen van alle "bojviki", en om eenieder die de grootsheid van dit land en de ziel van ons eeuwige moederland wil beschadigen, te bestraffen. Het is de strijd die onze president voert en het zal de strijd zijn die zijn opvolger voert, welke kandidaat ook gekozen zal worden. Wanneer onze nationale eenheid door zulke grote gevaren wordt bedreigd, moet onze democratie gestuurd worden door daadkrachtige lieden.'

VIERDE DEEL

HERFST

(OSEN)

O charmante, onvergetelijke vrouw! Zolang de ruimte tussen mijn armen zich jou zal herinneren, zolang je nog op mijn schouder leunt en op mijn lippen ligt, zal ik bij je zijn. Al mijn tranen zal ik gebruiken voor iets wat jou waardig is en blijvend is. Ik zal je herinnering in lieflijke beelden vatten, teder, zo triest dat je hart ervan breekt. Ik zal hier blijven totdat het is gebeurd. En dan zal ik ook vertrekken.'

Boris Pasternak,
Dokter Zjivago, 1957.

I

Er groeit een witte haar op mijn voorhoofd die zich gedraagt als een vlag van dezelfde kleur: hij laat de dood weten dat ik me gewonnen geef. Dank dat u me opnieuw wilde ontvangen in uw marmeren stulp, vader Jerochpromandrit. Ik zit tot mijn wenkbrauwen onder de coke. Ben er met mijn neus ingevallen, drie weken geleden, en nooit meer opgestaan, hahaha! Ik word gek van die herfstbuien. Ik begrijp die witte lucht niet: eerst bevriest hij je, dan verstikt hij je. En dan te bedenken dat ik erover nadacht om in Rusland met pensioen te gaan! Je kudde heeft je nodig, ik zal je heilige tijd niet verdoen met mijn bepoederde gezwam. Ik wil je excuses vragen voor mijn scabreuze verhalen van de vorige keer, maar vooral wil ik je bedanken dat je er geen melding van hebt gemaakt bij de autoriteiten. Ik begrijp je getergde reactie volkomen. Het biechtgeheim rechtvaardigt nog niet dat je de hele dag lang gestoorde bekentenissen moet aanhoren. Botox verlamt de spieren. Ik zou het in mijn hersenen moeten spuiten. 77 maal 7 maal excuus, 539 maal dus! Ik weet best dat je helemaal geen zin had om me weer te moeten aanhoren, vooral nadat ik je vertrouwen heb geschonden door de Uiterst Charmante Lena Dojtsjeva op het verkeerde pad te brengen. Het spijt me enorm dat ik me verplicht zag om dynamietladingen aan te brengen rondom uw sublieme gebouw, om alle majestueuze pilaren met kneedspringstof te bekleden en mijn buik te omgorden met explosieven. Het zou natuurlijk jammer zijn als ik deze ontsteking zou moeten indrukken, maar aan de andere kant is deze kathedraal in 1931 al door Stalin vernietigd en heeft Chroesjtsjov er zelfs een verwarmd openluchtzwembad van gemaakt! Het grootste ter wereld, weet je nog? Je kon het van heel ver weg al zien, met die zuil van rook die naar de hemel steeg, omringd door sneeuw en lauwe waterdamp; het leek wel een kernontploffing ... Een schouwspel dat je nergens anders wilt terugzien dan in de herinnering. Gebouwen zijn kneedbaar, net als het leven zelf, is het niet? Wat is dit toch een vreemde plek: heilig, donker en verlicht. Ik ben dol op het vochtige, verlaten schip van deze kerk, maar af en toe schiet ik ervan in de stress! Als ik eraan denk dat Stalin dit wilde vervangen door een reusachtige wolkenkrabber, nog hoger dan het Empire State Building, de 'Lenintoren' met bovenop een beeld van de oprichter van de USSR, de hooggeachte Vladimir Iljitsj Oeljanov, met net zoveel kinhaar als ik, staand in de wolken, de weg wijzend naar de waarheid in één enkel land! En dat beeld moest nog groter worden dan het Vrijheidsbeeld! Een leuk stelletje geesteszieken bij elkaar, vindt u niet? Het zou jammer zijn als van uw kerk alleen de parkeergarage zou overblijven, waar mijn auto op dit moment geparkeerd staat. Ik ben er echt aan gehecht: een gloednieuwe Cayenne met leren bekleding en drie dvd-spelers, een cadeau van mijn favoriete Nouveau Rus. Alstublieft, zorg ervoor dat ik hem niet onder een dikke laag puin hoef te bedekken, ook al is het heilig puin.

2

Zoals u weet, mijn theoloog, ga ik iedere keer als ik een bad trip heb bij Jezus Christus op bezoek. Die man is mijn tegengif. Aangezien jij zijn waardige vertegenwoordiger bent, ben ik tot alles bereid om bij jou te mogen biechten. Maak je geen zorgen: ik wil geen slachtoffers maken. Ik voel me beter zodra ik op jouw bidstoel neerkniel; de kerk is mijn Xanax. Wat wordt Jezus leuk verlicht achter jouw altaar. Al die kaarsen aan de zuilenrij brengen mijn hart weer tot leven. Heeft de Messias zich echt voor ons opgeofferd, als een Tsjetsjeense zelfmoordterrorist? Hou toch eens op met die om de beurt kwade en ontstelde blikken. Eén ding is zeker: met Christus is het slecht afgelopen. Natuurlijk, je hebt gelijk. Hij is wederopgestaan. Kijk, daar heb je 'm, de reden van mijn bezoek. Ik zou zo graag hetzelfde doen als hij. Niet alleen moslims kunnen martelaar zijn. De christenen die zich in de leeuwenkuil wierpen namen geen anderen met zich mee? Nou, misschien is het hoog tijd dat dat verandert: ik word de eerste katholieke zelfmoordterrorist die een orthodoxe kathedraal opblaast. Christus Akbar! Jop la boemski!

Blijf zitten, o patriarch. Je zult me tot het einde moeten aanhoren; dwing me niet om de Christus-Verlosser-aan-de-Rivier-kathedraal te veranderen in de Ground-Zero-onder-de-Moskva. Je weet dat als je de politie belt, die niet zal aarzelen om alle aanwezige gelovigen onder deze koepel met Fentanyl te vergassen of ons met vlammenwerpers aan te vallen, waarbij ze toch niet zullen kunnen voorkomen dat ik de boel in de lucht laat vliegen. Je kunt beter geduldig naar mijn biecht luisteren, me absolutie verlenen en me hier als een rustig, sereen mens laten vertrekken. Ik beloof dat ik voorgoed uit je leven zal verdwijnen zodra Lena Dojtsjeva er is. Doet de orthodoxe godsdienst aan absolutie? Ik smeek je, luister naar mijn klaagzang, ik ben een schurftig schaap dat aan jouw voeten valt. Ik verzeker je dat iedereen er levend uit komt als de media mijn oproep verspreiden en de blonde, Tsjetsjeense winnares van de Petersburgse Aristo Style Contest haar wipneus om de deur steekt. Terwijl ik je dit vertel staat Lena ergens ter wereld te douchen, de zeep loopt langs haar lichaam – ontoelaatbaar gewoon. Ik kom je hier om redding en vergeving vragen.

3

Wacht, ik neem nog een lijntje, Parijs naar Vladivostok met tussenlanding in Novosibirsk … Honey, I shrunk the coke, whaaa! Het ergste wat je met dit spul kunt doen is ermee kappen! Weet je zeker dat je niet wilt? O heilig Neusgat van de Onbevlekte Ontvangenis! Jammer voor je, my Lord. Ik gebruik het omdat ik er gemakkelijker door praat. Ik zal verder vertellen over de reden van mijn ruzie met Lena en jij zult opgewekt luisteren, want jouw baan bestaat eruit dat je van het leven houdt en ervoor vecht. Ik begrijp je wel: zelf heb ik me ook vaak aan het leven vastgeklampt. Vanaf je veertigste denk je iedere keer dat er iets gebeurt, dat het misschien de laatste keer is. Als je ervan overtuigd bent dat de helft van je leven achter je ligt, verandert je gedrag een beetje. Ik zou hier misschien niet zitten als ik twintig jaar jonger was. Ik zei het al: totdat ik Lena ontmoette, beschouwde ik mezelf als emotioneel gehandicapt. Als je wordt grootgebracht door allerlei nanny's en inwisselbare vaders, leer je heel snel om je aan niemand te hechten. In mijn puberteit wilden de meisjes me niet; nu willen ze me om professionele redenen te graag. Ik ken het geheim van de liefde niet. Ik ben altruïstisch gehandicapt. Ik heb nooit de kans gehad om jouw Heer te leren kennen, en jammer genoeg ben ik er tot voor kort ook nooit in geslaagd om iemand anders te leren kennen. Dat komt betreurenswaardig veel voor in rijke landen: al heel lang interesseert niemand zich nog voor zijn naaste. Misschien dat jullie dat in Rusland nog niet echt door kunnen hebben: onze beschaving is niet langer op verlangen gebaseerd, maar heeft hem zozeer misbruikt dat zij hem heeft vernietigd. Wat wij individualisme noemen heb ik lange tijd aangezien voor een vorm van vrijheid. Maar nu weet ik het: vrijheid leidt alleen tot impotentie voor een plat beeldscherm, tot zelfmoord in een badkamer vol spiegels. Vrijheid? Welke vrijheid? De vrijheid om je voor de spiegel af te rukken? Om van niemand afhankelijk te zijn? Vrijheid wordt veel te hoog aangeslagen. Vrijheid is nog zo'n leugen, een illusie, een utopie! Is individualisme de grote overwinning van de filosofie van de Verlichting, of de troonsbestijging van de meest narcistische eenzaamheid uit de geschiedenis van de mensheid? Hier bij jullie is vrijheid even oud als Lena. In Rusland is de vrijheid in de puberteit. In werkelijkheid kan het de mensen geen zak schelen dat ze vrij zijn – jij zit op de goede plek om dat te weten – ze zouden allang tevreden zijn met een reden om te leven.

Lena dacht dat ik haar net zo zou behandelen als de anderen, als al die hoeren die me hebben afgeschilderd als een seksueel monster. Ja maar jezus, hoe zou ik enig medelijden kunnen voelen voor die vrouwen die geen enkel gevoel bij me opriepen? Je hebt niets te verliezen als je van niemand houdt. Da's geen nihilisme, da's kapitalisme. Een beschaving van kleinzerige lieden en lafbekken, een politiestaat waarin je bang bent voor je naaste. Ik herinner me dat ik me in Parijs troostte door het lot te beklagen van de arme landen die ik op televisie zag. Ik dacht dat het lijden van degenen die niets hadden mijn eigen lijden lachwekkend maakte. Onbewust ben ik hier misschien niet gaan wonen om op vers vlees te jagen maar om te ontdekken of ik een menselijk wezen ben. Ik beschouwde jullie als een derdewereldland vol vierkante Lada's. (Ken je dat Russische raadsel: Wat is het verschil tussen aids en je Lada? Van een Lada kom je niet meer af.) Al heel snel merkte ik dat ik niets had begrepen van Rusland. Ik heb jullie schrijvers gelezen, jullie geschiedenis en godsdienst bestudeerd, en nu pas begin ik een glimp van de waarheid op te vangen: jullie zijn er net zo ellendig aan toe als ik, maar jullie accepteren het. Jullie dromen ervan om zonder te werken rijk te worden in het casino, om van de ene dag op de andere een gasfabriek of een oliebron te erven zoals Michail Prochorov of de visser van Poesjkin die zich een kasteel cadeau liet doen door een vergulde vis. Jullie zijn irrealisten, zoals Pierre Mérot zou zeggen. Jullie konden kiezen tussen rijkdom en vrijheid en jullie hebben rijkdom gekozen. Ik zou een Rus moeten zijn: ik had graag geboren willen worden in dit onredelijke land in plaats van in Béarn, mijn planeet die ingeklemd lag tussen bergen en oceanen. In Villa Navarre voelde ik hetzelfde wat de Russen in Rusland voelen: vroeger waren we thuis en nu niet meer.

Ik ben hier alleen maar met rijken omgegaan, omdat het mijn werk was om mooie vrouwen te vinden en omdat rijke vrouwen samengaan met rijke mensen, degenen die niet in Lada's rijden. Moskou telt tweehonderdtachtigduizend dollarmiljonairs: een wereldrecord, waardoor ik alle keus heb. Dat is een van de geheimen van het scoutingvak: de snelste manier om in contact te komen met het grootste aantal mooie meisjes in een bepaald land is omgaan met de miljardairs. Bij hen heb ik ontdekt dat geld dodelijk is voor de liefde, dat liefde iets is waarover gepraat wordt tijdens etentjes, maar dat het boven een bepaalde levensstandaard niet meer kan bestaan. Ik ben er sowieso van overtuigd dat liefde niet meer bestaat, dat er in onze pragmatische beschaving niet meer wordt voldaan aan de voorwaarden voor liefde. Hoe zou je verliefd moeten worden als romantiek in Rusland zo streng werd bestraft? Wat in 1991 is gestorven is niet alleen de Unie van Socialistische Sovjetrepublieken, maar ook de menselijke goedgelovigheid. Het gevolg van het mislukken van het communisme is dat engagement op welk gebied dan ook, politiek of persoonlijk, onmogelijk is geworden. En die nederlaag treft niet alleen Rusland, maar de hele wereld. Hedonisme is de ideologie van mensen die alle hoop hebben opgegeven. Dromen zijn tegenwoordig verboden. De globalisering maakt ons tot pessimistische, lijdzame techno-consumenten. Liefde is verboden, net als alle andere dromen, met uitzondering van doorlopend krediet. De eenentwintigste eeuw zal niet rusten voordat alle bezieling belachelijk is gemaakt.

4

Hou alsjeblieft je mond, devote chartofylax, ziet u mijn duim? Ik hoef alleen maar dit knopje in te drukken om stof tot stof te doen vergaan. Dastali! Ik vraag alleen of je naar mijn verhaal wilt luisteren en daarna nemen we samen contact op met Lena, met tussenkomst van de media. Als ze haar naam op de voorpagina's van de kranten en in de televisiejournaals naast de mijne ziet staan, komt ze wel terug ... en als ze niet terugkomt zullen we samen sterven, wat maakt het dan nog uit? Dan is er niets meer te verliezen. Ik heb een loopneus, ik snotter druppels drugs. Je hebt me vermoord in Petersburg ... Petersburg, o Petersburg! Het is nog niet eens zo gek om die naam een paar keer achter elkaar te zeggen, dat komt heel poëtisch over. Toen Lena over haar kindertijd vertelde, brak mijn hart omdat het leek of ze mijn eigen jeugd beschreef. Een kindertijd zonder vader, altijd eenzaam, een verdrietige moeder ... Het leven van Lena versmolt met het mijne. Trouwens, tegenwoordig leidt iedereen hetzelfde leven als ik. Door onze geschiedenissen zijn we met elkaar verbonden, en ik zou zo graag willen dat onze lotsbestemmingen ook met elkaar versmelten. Russen zeggen dat je in Moskou moet leven en in Sint-Petersburg moet sterven: is dat niet precies wat ik gedaan heb?

Ik hield van Lena ondanks haar schoonheid. Echt waar, niet alleen haar uiterlijk trok me aan, maar ook haar hulpeloosheid, dat ze zich schaamde voor haar schoonheid, haar stralende gêne. Ik heb altijd gedacht dat het meest erotische ter wereld een piepjong blondje is dat zich heel ongemakkelijk voelt en allerlei banaliteiten uitkraamt, van het soort 'Goedenavond, hoe heet je?' Een beeldschoon, onbereikbaar meisje in een doorzichtig topje in de weide, onder lange, witte, maagdelijke wolken waar geen einde aan komt, of in een babydoll op een wanordelijke canapé. Het meest esthetische wat er is, zijn haar gouden haren tegen een bleekgrijze achtergrond. Toch moet ik toegeven dat ik wilde opscheppen met het feit dat ik haar bezat. Ik wilde opzien met haar baren, pronken aan haar zijde, haar schittering over me heen voelen, in de meteorietenregen staan van de ster die ze was. Ik wachtte tot ze me zou aansteken. Zoals iedereen met een complex deed ik heel erg mijn best om in de nabijheid van schoonheid te komen, het te aanbidden als een sacrament. Ik genoot ervan om in de melkachtige schemering met zo'n prachtig wezen door de straten van Sint-Peet te wandelen. O, de koppen van al die mannen die we tegenkwamen! Ik genoot van hun haat. Vooral van de Fransen! Als ze Lena zagen, vielen ze mentaal op hun knieën, daarna keken ze naar mij omdat ik degene was die haar hand vasthield en wensten ze me dood. De blikken van de anderen prikkelden me toen ik aan het einde van de middag, na de wandeling op Peterhof, in kamer 403 van Hotel Europa de liefde met haar probeerde te bedrijven. Ik denk dan ook dat mannen die van mooie vrouwen houden allemaal homo zijn. Onder het neuken denken ze aan de blikken van de andere mannen. Als je met een prachtige vrouw bent, bedrijf je de liefde nooit met z'n tweeën. Alle mannen die haar begeren staan bij je in de kamer als je toekijkt hoe ze zich uitkleedt, en hun aanwezigheid maakt iedere beweging pikanter. Ik hoorde ze fluisteren: 'Goed zo, Octave, neem haar, doe het namens ons. Doe voor ons wat wij nooit zullen doen. Doe het in onze naam.' Ja, terwijl ik de liefde met vrouwen bedreef, dacht ik aan mannen. Baudelaire had ongelijk: het genot van de pederast is niet de omgang met intelligente vrouwen, maar het beminnen van de mooiste vrouwen van de wereld. Dat is ook de reden dat ik die nacht afging als een gieter: de druk was te groot. Ik stelde me voor dat ik door drie miljard mannen werd uitgefloten. Ik zweette heviger dan ooit, van schaamte, en ik had geen Viagra bij me. Het was een volmaakte ramp.

'Wat vervelend: ik wilde net acht uur lang de liefde met je bedrijven.'

'O nee, da's veel te lang.'

'Je hebt gelijk: acht minuten is ruim voldoende. Jammer.'

'Hou er maar over op, het maakt niet uit.'

'Ik heb zo veel wodka met benzodiazepine op dat ik niet eens meer dronken ben. Lena, nu zal ik je vertellen wat ik echt denk.'

'Mag ik eerst een peuk opsteken?'

'Charasjo.'

Ze stak een sigaret op en in het licht van de lucifer leken haar ogen op een rivier waarin ik volkomen vergat wat ik wilde zeggen: liefde is de oorzaak van alle mechanische disfuncties.

'Lena?'

'Hm?'

'Ik kom aan het einde van mijn leven.'

'Hm.'

'Het einde is in zicht.'

'Hm.'

'Ik ga sterven.'

'Hm.'

'Lena, ik ben een uiterst ongelukkig mens dat zich omringt met schoonheid omdat hij schoonheid met goedheid verwart.'

'Dat doe jij niet, dat doet Plato. Je verdriet maakt je aantrekkelijk en dat zul je nooit weten. Waarom schrijf je op wat ik zeg?'

'Ik heb geen geheugen. Dit heb ik opgeschreven in mijn boekje: we kunnen beter niet met elkaar naar bed gaan, want jij bent zo vurig en sensueel dat ik vermoed dat het enorm plezierig zou zijn en dan zouden we zo dol op neuken worden dat we niets anders meer zouden doen, gillend en wel, en we zouden ons zo goed vermaken dat we het risico liepen dat we gelukkig werden, en dan zaten we pas echt in de problemen.'

Haar haren: een blonde waterval, de lakens in brand. Alsof mijn kussen vlam had gevat.

'You set my bed on fire.'

'Blus me.'

'Ik heb mijn asbesten pak en mijn gasmasker niet bij me. Red me!'

'Vergeef me!'

Terwijl ik tegen haar praatte, zat ze te sms'en met haar vriend. Behoorlijk irritant, maar wat kon ik eraan doen? Het meest vernederende was dat ze in slaap viel toen ik haar uit het Hooglied citeerde: 'Verkwik me met rozijnen, verfris me met appels, want ik ben ziek van liefde ...' Toen ze wakker werd omdat ik haar blanke hals kuste, stribbelde ze niet tegen en klaagde ze ook niet; ze liet zich gedwee kussen, spinnend als een kat die beleefd wacht totdat hij met rust wordt gelaten. Nooit heeft ze me enige liefdesverklaring gedaan, zelfs geen indirecte toespeling of Corneilliaanse litotes (iets als: 'Ik heb geen hekel aan je, hoor'). Alleen ontsnapte haar, op die beruchte avond dat we samen sliepen, midden in de nacht een zucht: 'Ik voel me zo raar ...' Lena maakt deel uit van een generatie die het zich in die mate verbiedt om lief te hebben dat ze zelfs het woord niet kennen. De liefde is zo morsdood dat ze liever zeggen 'ik ben raar' dan dat ze een 'ik hou van jou' aandurven, dat is te riskant, te gedevalueerd. Ik kan het me woordelijk herinneren. Ze zei: 'I feel weird', op de manier waarop Louis Jouvet bij Marcel Carné zei: 'Wat raar: zei u raar? ...'

Inderdaad, de liefde in de eenentwintigste eeuw is raar en dramatisch.

5

Hoe zegt u, startsjestvo? O ja, dat geloof ik graag. Toen het bestaan van God je werd geopenbaard, begreep je dat extase niet vleselijk hoefde te zijn. Sinds je op een ochtend heel sterk voelde dat Hij je liefhad, geloof je in andere soorten orgasmes. Amen. Zelf geloof ik in Haar. Lena Dojtsjeva die op een bankje zit, met haar kin omhoog richting de Baltische Zee, onder de witheid van het licht van de zon op het hoogste punt. Als ik mijn ogen sluit, ruik ik haar geur en dan val ik bijna flauw. Heilige Lena, dochter van God, bid voor ons zondaars, nu en in het uur van onze dood. De gracieuze Lena in het gefacetteerde water onder de bruisende waterval, tussen de wilgen die vol respect buigen voor haar gratie. Red mij van deze engel des doods. Ken je dat liedje van Elvis, 'The Devil in Disguise'? Doe me een lol en zorg dat ze onmiddellijk komt. Als jij belt komt ze wel, daar ben ik van overtuigd. Het is mijn enige eis. Dat ze hier komt en dat ik kan vertrekken zonder iemand te verwonden. Ik zal haar uitleggen dat ik te verliefd was om haar aan te raken. Zij zal begrip hebben voor mijn puurheid tegenover de hare. De nimf is een gezegende vrouw onder vrouwen. We zullen een auto staande houden in de sneeuw en ik zal nooit meer in de steek gelaten worden. We worden samen oud in een huis aan de oever van een meer, hier ver vandaan, met een grote tuin waar het altijd zomer is, waar het nooit ochtend wordt, waar het nooit september wordt. Hier zijn alle auto's taxi's: een onbekende zal er in ruil voor een paar beduimelde roebels voor zorgen dat we kunnen verdwijnen tussen de Oeral-Altaïsche volkeren. Ze had het over Tasjkent, ik weet dat ze daar wel wil wonen. Ik heb gezegd dat ik haar best uit eten wil nemen in restaurant Oezbekistan, als ik maar niet bij elke maaltijd plov hoef te eten. Het maakt allemaal niet uit, ik zou haar zelfs naar Tsjetsjenië volgen. Charasjo, vader, ik wacht hier, maar pas op: ik haal mijn vinger niet van de ontsteking. Zorg dat ik de boel niet op hoef te blazen. Mijn leven heeft geen enkele waarde, ik sta te stuiteren van de coke, ik zweer dat ik klaar ben voor de grote sprong. Je hebt vijf minuten. Spassieba, o dikbehaarde opperdiaken. Het is allemaal jouw schuld: moest je me nou echt toegang tot de eeuwige liefde verschaffen?

6

Nu de priester weg is kan ik er weer een koppelteken tussen zetten.

(een driehonderd seconden durende stilte; het geluid van mijn ademhaling als enige gezelschap)

Mijn gedachten op dit moment:

Aan het einde van de Bijbel wordt het einde der tijden in Openbaring als iets moois gepresenteerd. 2005 was het warmste jaar in twaalfduizend jaar: joepie. Binnenkort ligt Moskou aan zee en bezoek je Sint-Petersburg per bathyscaaf. Groenland wordt minstens honderd miljard ton per jaar lichter. Ik begrijp niet waarom de aardbewoners zo bang zijn voor het smeltende Groenland, de oprukkende woestijnen, de opwarming van de atmosfeer, de stijging van de zeespiegel en de ontbossing van de Amazone: ze zouden blij moeten zijn dat ze aanwezig zijn bij het Afscheid van de Geschiedenis. Meer dan zestig procent van alle ecosystemen is aangetast, de helft van alle vissoorten zal in de komende halve eeuw uit de oceanen verdwijnen. De uitstoot van broeikasgassen blijft toenemen, het aantal mensen dat op jonge leeftijd kanker krijgt stijgt, evenals het aantal aangeboren afwijkingen, en de vruchtbaarheid daalt: de mensheid is zichzelf aan het vernietigen. Misschien komt de wereld aan zijn einde maar dat is geen ramp, want het einde is een begin (In mijn jeugd had je zelfs een disco in Parijs die Apocalyps heette, aan de rue du Colisée ... Tegenwoordig heet die Les Planches en is de gemiddelde leeftijd er vijftien, net als in de System, die club in Auschwitz. Als onze kinderen eens wisten op hoeveel geschiedenis ze staan te dansen!). Onze manier van leven versnelt de laatste ontwikkeling en de olielobby's verzetten zich tegen verandering. Misschien willen de CEO's (chief executive officers)

van de multinationals de Laatste Apotheose kunnen meema-
ken, en liefst zo snel mogelijk, net als ik. Of misschien
Nemen ze alleen wraak
Omdat ze geen vijftien meer zijn.

7

Aha, eindelijk, daar ben je weer. Ik stond op het punt om heel wat levens te beëindigen. Waaronder dat van mij en dat van jou. Je zou me diep gekwetst hebben – maar kan een verpletterd lijk wel gekwetst zijn? Aha, je hebt goed en slecht nieuws. Begin maar met het goede, voor het geval we sterven voordat je zin is afgelopen. Het goede nieuws is dat Lena komt! Wat geweldig! Batjoesjka, je bent geweldig, ik ben overgelukkig, ik zit helemaal te beven, ik ben helemaal van m'n à propos, zo blij ben ik. Halleluja, father! Ik zou zo graag zien dat deze geschiedenis goed afloopt! Het slechte nieuws? Aha, we zijn omsingeld door de speciale eenheden. Dat vermoedde ik al en het kan me niet schelen. Hun tactiek is bekend: ze wachten tot ik in slaap val en gaan dan in de aanval met chemische wapens en het Spetsnaz-commando voorzien van granaatwerpers. Met alle poeder die ik in m'n mik heb gegooid, hebben we dus nog een uur of tien. God zegene je! Maar ik neem aan dat hij dat al regelmatig doet, want je verdient het. Lena komt en ik ben er stil van … Goed, we wachten samen!

Ik moet je nog vertellen over die ene nacht die ik met Lena heb doorgebracht. Ik vroeg haar wat ze zoal leerde op school. Terwijl ze haar modderlaarzen uittrok, begon ze over kernfysica.

'Gisteren hebben we de paradox van Schrödinger geleerd.'

'O ja?'

'Kent u Schrödingers kat niet?'

'Nee, en je mag me tutoyeren.'

'Die stamt uit 1935. Schrödinger stelt zich voor dat je een kat in een kist stopt die vergiftigd wordt door het verval van een uraniumatoom. Daaruit leidt hij af dat een radioactief atoom een lineaire combinatie is van de dode kat en de levende kat. Dat leren we bij natuurkunde.'

Ik wist dat Russen erudieter waren dan Fransen, en ik was

dus maar half verrast dat zij dingen wist op het niveau van een onderzoeker van de Academie van Wetenschappen. Terwijl ze Schrödingers experiment beschreef, maakte ze een voor een de knopen van haar weerbarstige bloesje los.

'Ik begrijp niets van kwantummechanica ... Lena, je hoeft je niet uit te kleden, we kunnen gewoon wat drinken en dan breng ik je naar huis ...'

'Een atoom heeft geen vaststaande toestand: hij is tegelijk ge-exciteerd en dood. Het is een lineaire combinatie van die twee. Het macroscopische gedraagt zich niet op dezelfde manier als het microscopische.'

En terwijl ze dat zei
Trok ze haar topje uit.

Ik had ze al op de foto gezien, maar nu zag ik niets anders meer, ze waren zo wit, zo rond als een planeet; vorstelijk weerstonden ze de zwaartekracht. Dat malse, naakte, ronde vlees, die pure zuiverheid die aan dat kleine, kinderlijke lijfje hing ... ik durfde met mijn vingers ternauwernood dichter bij die zachte, roze, warme schat te komen.

'Ongelooflijk, wat zijn ze stevig!'

'Het zou nogal vervelend zijn als ze dat niet waren, op mijn leeftijd!'

Ik voelde me totaal verbonden met Schrödingers kat: dood en levend tegelijk – gespleten. Het vrouwkind pakte mijn hand en legde hem op de zwelling van haar radioactieve borst, en ik bevond me in het dodenparadijs, met om me heen die menigte juichende mannen als elektronen; alle mannelijke verlangens van alle jaloerse straten ter wereld draaiden in banen om me heen en kwamen samen in mijn hand die de contouren van het oppervlakte van de kern van het fuserende melkweg betastte, omvatte, trilde, huiverde, kneep, en bevoelde. Het zonnestelsel is een atoom. Lena is de zon. Nooit heb ik zo veel gejankt als die avond.

8

Ik zou u kunnen vertellen over Lena in de Fashion Lounge in Sint-Peet, die de mond van haar vriendin Louisa opzoog, over Lena in de Moskva, het restaurant boven op een flatgebouw, die keek naar de zon die niet in staat was in de rivier te gaan slapen, over Lena op de Zabava boat, de table-dancingboot die deint onder de spillebenen van de strippers die ze met haar blik verslond, of over Lena die met ogen zo groot als het Winterpaleis uit de badkamer van mijn hotel komt, gekleed in een peignoir, met een glas grapefruitsap in haar ene hand en onderwijl haar tanden poetsend met de andere, over Lena die in een klein roze slipje langs de kabelnetten zapt, of over Lena die aan één stuk door op haar iPod naar 'I Just Don't Know What To Do With Myself' (de cover van Dusty Springfield door de White Stripes) luistert en onderwijl een olijf opvangt in het kuiltje tussen haar duim en wijsvinger om hem daarna naar haar lippen te brengen en de pit weer uit te spugen en me onderwijl te vragen waarom ik haar met open mond zit aan te staren, of over hetzelfde tafereel, maar dan met haar vinger in de jampot die dan in haar mond verdwijnt en daarna weer terugkeert naar de jam, waarna ze hem weer aflikt, allemaal gebaren die je tot waanzin drijven, of over Lena's kamer in de Grazjdanskajastraat, waar alle schoonheidsmiddeltjes door elkaar heen staan, allemaal open want ze is niet in staat om een deksel dicht te draaien of een kledingstuk anders op te ruimen dan door het op de grond te laten vallen, of over Lena die vraagt of ik haar pols wil opnemen om te voelen hoe hard haar hart tekeergaat als we elkaar zo stevig vasthouden totdat we bijna stikken, of van Lena die Russisch praat en een pornoactrice nadoet: 'Da, da, jebi menja kak bljadj! Mne nravitsja tvoj bolsjoj frantsoezski choej! Trachi menja kak soeka! Da, da!' Want toen ze zich uitkleedde sprak ze Engels, maar ze beweerde dat ze alleen in het Russisch klaarkwam. Ik heb trouwens (nog) niet de kans gehad om dat te checken. Ze hoefde haar geslacht niet te epileren, want er groeide nog geen haar op. Vlak boven haar oor had ze een dun randje zijdeachtig dons, en dat zou weleens het zachtste plekje ter wereld geweest kunnen zijn. Ik stak mijn neus erin en het was alsof ik een pasgeboren kuiken opsnoof (minus de stank van het kippenhok).

'Octave, what is your favorite drug?'

'Mijn lievelingsdrug? Jouw haar opsnuiven.'

'What?'

'Ik wil in je haar begraven worden.'

'Je bent verliefd geworden op mijn geur!'

'Hou oud ben je, Lena?'

'Veertien, maar ik lijk twaalf.'

'Ik ben een vampier die zich voedt met jouw jeugd. Ik kan niet van je houden zonder je te vernietigen.'

'O, graaf Dracula! Neem mijn maagdenbloed als aperitief!'

'Ik maak geen grappen. Dante werd verliefd op een meisje van dertien. En John Casablancas trouwde met een vijftienjarige.'

'Weet ik. Maar wie is die Dante?'

'De schrijver van *De hel*.'

'Is dat een portret van zijn verloofde?'

'Heel leuk. Raar dat je Kant wel kent en Dante niet.'

'Ik heb Duits als keuzevak. Hoe weet je dat je verliefd bent?'

'Ik heb de hele tijd honger en heb het nooit koud.'

Ik kan me niet herinneren dat ik ooit zo van iemand heb gehouden.

Hè verdorie, pope in voorraad, als ik er alleen maar aan terugdenk begin ik alweer te janken, spassitje iezvinietje. Ik wist niet dat ik nog een hart had, vader, je moet me begrijpen, jij hebt me in haar armen gedreven. Als ik moest kiezen tussen beminnen en bemind worden, dan kies ik voor beminnen, bij God! Wat heerlijk om zo te lijden! Als je dat nooit hebt gekend, heb ik medelijden met je. O? Dat heb je wel gekend, in Parijs, met die serveerster? Ja, die herinner ik me, natuurlijk, ik wist alleen niet dat ze zo belangrijk voor je was. Sorry dat ik zo zit te janken, het is belachelijk. Ik moet mijn tranen wegvegen met de mouw van mijn jasje want ik ben bang ik per ongeluk de ontsteking in zou drukken als ik een zakdoekje pak, in mijn toestand ben ik daar prima toe in staat. Ik heb je niet verteld waarom Lena op de vlucht sloeg toen ze de Aristo Style-wedstrijd had gewonnen. Sergei had een groot feest georganiseerd in zijn zwart met witte datsja met de glazen schuifdeuren die toegang gaven tot een rood zwembad. Mijn vergissing was dat ik haar daar mee naartoe nam.

9

'Gas geven, dan staat de olie zo op honderd dollar per vat!'
Sergei verzamelde grote auto's omdat die zijn benzine verbrandden: 'Iedere keer dat ik het gaspedaal intrap, word ik rijker! Hoe zeldzamer de benzine, hoe duurder hij wordt, en hoe meer ik opstrijk. In Rusland zijn we direct overgestapt van ontbering op privatisering. Mijn Zwitserse bankrekening groeit even snel als het gat in de ozonlaag! Verstoken, die motherfucking kutbenzine!'

Jij weet het beter dan ik: vanwege het communisme zijn er geen oude rijken in Rusland, alleen recente fortuinen, dikwijls uitgedeeld door de machthebbers om te vermijden dat de grote conglomeraten door Amerikanen werden gekocht. Ik had al gezegd dat de mooiste vrouwen van een land samenklitten rond die handvol heren die rijk zijn geworden door de industriële instant-privatisering in 1990. Het zou dus een beroepsfout van me geweest zijn om niet met ze om te gaan. Maar daar moet ik aan toevoegen dat ik hun gezelschap erg op prijs stelde. Ik heb niet vaak rijkelui gezien die hun geld zo goed wisten te spenderen. Toen ik aan Sergei Orlov werd voorgesteld, kon ik vanzelfsprekend niet weten dat hij de reden zou zijn van Lena's verdwijning. Het was een gedrongen, ordinaire man, maar wel met een fascinatie voor literatuur, net als ik (de veranda van zijn huis was een kopie van die van Tsjechov in Melichovo), en zo cynisch dat het hilarisch werd. De eerste keer dat we elkaar spraken, zei hij:

'Ik hou van Rusland als van mijn alcoholische moeder.'
'Is je moeder aan de drank?'
'Ja, en toch hou ik van haar. Ze is ladderzat, ze drinkt totdat ze over de grond rolt, maar het blijft mijn moeder! Ik zou hier best weg willen, zoals Berezovski of Abramovitsj, maar ik kan het niet. Ik ben niet in staat om ergens anders te leven dan in dit

smerige, bevroren kutland van mij!'

Hij gebruikte aan één stuk door het woord 'positiv':

'Wees positiv, probeer eens wat positivs te zeggen, deze avond moet positiv zijn, ik wil iets positivs.'

Hij was ervan overtuigd dat de Russen het meest masochistische volk ter wereld waren en dat het tijd was om die mentaliteit te veranderen. Hij beschouwde zich als een goeroe van het toekomstige Rusland: met die nieuwe missie vulde hij de ledigheid van de zakenman die de volgende twaalf generaties niets tekortkomt. Hij was er oprecht van overtuigd dat hij jullie 'narod' (volk) ging ontdoen van de fatalistische cultuur. Zoals iedere normale heteroseksueel viel hij als een blok voor Lena, en ik zou niet tegen hem opgewassen zijn. Hij sprong boven op haar en haar o zo 'positive' engelachtigheid.

'Sweetheart, make my desires reality! Ooooh, she so kicks ass! Zet niet zo'n gezicht op, Octave, weet je hoe je kunt zien dat je een buitenlander bent?'

'Omdat ik beter gekleed ben dan jij?'

'Ti vapsje! ('Wat denk je wel!') Omdat je buiten de maaltijden wodka drinkt en omdat je ervoor zorgt dat je nooit met de rekening wordt opgescheept!'

'Maar jij wil me nooit laten betalen!'

'We hoeven ook nooit te betalen; alle plekken waar we naartoe gaan zijn toch van mij.'

Sergei was dit gesprek alleen maar begonnen zodat hij dit in Lena's bijzijn kon laten vallen.

Korte, cokebestoven uitweiding over de oligarchie.
De Russische tycoons zijn niet walgelijker dan de Franse, vind ik; ik zie niet in waarom Roman Abramovitsj minder salonfähig zou zijn dan Bernard Arnault. Rusland heeft geen monopolie op snelle, met staatshulp vergaarde fortuinen. Heeft de carrière van François Pinault niet even veel te danken aan de hulp van de machthebbers als die van Michail Chodorkovski? Toch rot alleen die laatste weg in een radioactieve Siberische kerker in Krasnokamensk; zijn vijftien

miljard dollar konden hem niet beschermen. Merkwaardig: ik kende
Chodorkovski al in 1989, van bij Castel en La Palette. Hij importeer-
de computers, samen met een van mijn oudste feestmakkers, Michel
Leborgne. Hij reed in een Porsche, zijn bedrijf Menatep was gevestigd
in de rue Mornay, en op onze feesten deden we nogal neerbuigend
tegen hem, die saaie Roeski. In die tijd kwam je in Parijs minder
Russen tegen dan tegenwoordig. De andere was Edouard Limonov,
die voor L'Idiot international *schreef. Ik vind het altijd moeilijk*
om me voor te stellen dat de enige twee Roeski's (behalve jij, vader)
die ik in de jaren tachtig heb gekend in de bak zijn beland omdat
ze Poetin niet gehoorzaamden, en ook omdat ze samen vier procent
van Gazprom bezaten (dat wil zeggen vier procent van driehonderd
miljard dollar, reken zelf maar uit, ik ben heel slecht in rekenen en
ik wil niet ter plekke sterven). Ik herinner me 'Misja' Chodorkovski
met zijn dunne, metalen brilletje en het sympathieke gezicht van een
Sovjetnerd, zittend op een terrasje in de rue de Seine achter een glas
witte wijn; hij moet weer voor zijn ras opdraaien aangezien hij sinds
22 september 2005 pantoffels naait in strafkolonie YaG 14/10. Hij had
die twee oppositiepartijen (Jabloko en de SPS*) misschien niet moeten*
financieren, maar sinds wanneer is dat een misdaad? Je moet nooit ge-
loven wat de kranten zeggen: dat Rusland democratisch is geworden,
dat soort gelul ... Onze landen lijken op elkaar: ze treuren over het
verleden, want ze hebben ieder op hun eigen manier geprobeerd om
zichzelf in een markteconomie te veranderen om vervolgens door de
realiteit te worden ingehaald. Frankrijk en Rusland hebben een band
omdat het allebei staatseconomieën zijn die doen alsof ze vrij zijn.
De belangrijkste media zijn in handen van ondernemers die sterk
afhankelijk zijn van orders van de overheid; dat is zo de gewoonte in
onze contreien. In Frankrijk is aannemer Martin Bouygues eigenaar
van het eerste televisienet, rakettenkoopman Arnaud Lagardère bezit
het grootste persconglomeraat van Europa, de bouwer van de Rafale,
Serge Dassault, heeft zichzelf op Le Figaro *getrakteerd. In Rusland*
heeft Gazprom het dagblad Izvestia, *de tabloid* Komsomolskaja
Pravda, *het Moskouse radiostation Echo en de televisiezender* NTV *in*
handen; staalmagnaat Alisjer Oesmanov, die nauwe banden met het

conglomeraat heeft, heeft het dagblad Kommersant *gekocht. Wat Roman Abramovitsj betreft: die heeft de boodschap van de zaak-Chodorkovski ontvangen: je moet geen ruzie krijgen met Poetin, en dus heeft hij zijn oliebedrijf Sibneft zonder dralen aan Gazprom verkocht. Je kunt beter duimendraaien op een jacht dan in de cel.*

Ik herinner me dat Sergei zich zat aan te stellen, achter in zijn jeep die over de weg der rijken reed:

'Eigenlijk zijn jullie Fransen een soort Oekraïners: jullie houden alleen van vrijheid als jullie gasrekening er niet van stijgt.'

'Hoho, rustig, Frankrijk is een groot, rijk land.'

'Wat een grap! Meisjes, horen jullie wat-ie zegt? Helloooo! Octave, wakker worden, ik heb nieuws voor je: Frankrijk is EEN KLEIN, ARM LAND! Ik zal je de namen noemen van drie grote, rijke landen: Rusland, China, India, oké? Jullie Fransen denken nog steeds dat wij arme bedelaars zijn, terwijl jullie zelf tot je nek in de schulden zitten en de cashreserves van onze centrale bank het gat in jullie begroting vijf keer zouden kunnen dichten. Binnenkort krijgen jullie aalmoezen van ons: wij hebben al drieëntwintig miljard dollar vervroegd afgelost aan de Club van Parijs, en binnenkort kopen we al jullie bedrijven op die vliegtuigen en tijdschriften in elkaar zetten, en het is nog maar de vraag of jullie in de raad van bestuur mogen blijven; persoonlijk heb ik zo mijn twijfels, maar ik mag die oude kaalkoppen met die dubbele namen van jullie wel, dat staat sjiek op mijn Blackberry Pearl. Oké, we zullen jullie niet allemaal ontslaan, dat beloof ik: jullie zijn decoratief.'

Ik verdedigde mijn vaderland niet al te vurig. Rechts van de weg lag het 'luxury village' Barvicha, het Wassenaar van Moskou met de Ferraridealer. Misschien was Frankrijk wel dood, net als de andere communistische landen.

'Sinds 1998 is het bbp van Rusland met 6,8% per jaar gestegen.'

'Ja, maar de levensverwachting van mannen is met drie jaar gedaald. Alcoholisme, knokpartijen, moorden, verkeersongelukken … In 2005 zijn er in Rusland achthonderdduizend mensen omgekomen, dat is dus evenveel als een stad als Marseille. De business class van Aeroflot is misschien luxueuzer dan die van Air France, maar jullie hebben een gewelddadige staat die de rijkdom nauwelijks herverdeelt, en kinderen krijgen jullie ook niet.'

'Daarom zijn we juist zo rijk!'

'Jullie doen barbaars tegen de Tsjetsjenen. (Dat zei ik wat luider, om Lena de kans te geven om te doen of ze zich opwond.) Tweehonderdduizend doden op achthonderdduizend inwoners.'

'Stel je eens voor dat de Corsicanen Franse scholen en theaters zouden gijzelen. Hoe zou de Franse overheid dan optreden?'

'Hard, maar jullie zijn wel veel racistischer dan wij … Terwijl jullie juist meer immigranten nodig hebben omdat jullie bevolking krimpt.'

'O ja? In welk land staat het Front National op twintig procent? Mag ik je erop wijzen dat Zjirinovski bij ons nauwelijks drie procent van de stemmen krijgt, terwijl er twintig miljoen moslims in ons land wonen?'

Niemand sprak Sergei überhaupt ooit tegen. Zoals alle potentaten was hij eraan gewend geraakt om te oreren zonder tegenspraak. Ik gaf hem het laatste woord als hij de rekening betaalde.

'Snap je het? Het mondiale schaakbord is omvergeworpen: de Amerikanen houden de olieprijs hoog om Rusland een voordeel te geven tegenover China. Heb je de truc door? De Verenigde Staten lenen honderden miljarden van China om Arabische benzine te kopen om die te verbranden en de lucht te vervuilen, en dat alles om ons sterker te maken! Geweldig, nietwaar?'

Sergei was grappiger als hij me verweet dat ik met te oude vrouwen omging.

'Hoe oud was die laatste? Tweeëntwintig? Octave, hou toch eens op met dat gekloot. Vanaf nu mag je alleen nog uitgaan met maagden zoals Lena. Maagden zijn toch heilig in de Franse

199

godsdienst, is het niet?'

'Ik ben geen heilige: mijn enige aureolen zitten onder mijn oksels.'

'Gebruik dan Ethiaxyl tegen het zweet, mijn zoon!'

Sergei deelde alleen het bed met meisjes van tussen de vijftien en de achttien. Hij had een theorie tegen trouw: 'Het huwelijk is de oorzaak van alle scheidingen. Als er geen gezinnen waren, zouden er heel wat minder moorden worden gepleegd. De oorzaak van de menselijke wanhoop is bij iedereen bekend: het echtpaar wordt nog altijd als een toonbeeld van geluk gepresenteerd, terwijl het in onze beschaving geen enkel bestaansrecht meer heeft. Het is een onmogelijk ideaal dat ze nog steeds aan de man proberen te brengen. En ondertussen gaat de wereld eraan ten onder!'

'Dat neemt niet weg dat je toch niet iedere avond van vrouw kunt veranderen, Sergei. Het moet toch mogelijk zijn om dat "duivelse verlangen" te beheersen? De heilige Augustinus is het ook gelukt.'

'Dat was uit liefde voor God.'

'Boeddha is het ook gelukt.'

'Die was te dik, die had geen keus, niemand wilde hem!'

'Als alle mensen zo graag stelletjes willen vormen, dan moet daar toch een reden voor zijn ...'

'Reclame. Films. De vrouwenbladen. Die drie propageren een ongelooflijk reactionair patroon, alsof de jaren zestig nooit hebben bestaan.'

'Nee. Het is liefde. De mensen dromen ervan om de liefde zo lang mogelijk vast te houden. Een echtpaar blijft niet alleen vanwege de lust bij elkaar, zelfs de seks wordt beter als je van elkaar houdt. Vrouwen zijn niet inwisselbaar. Het kán, die langzame verbinding, het mysterie van een wezen dat je denkt te kennen maar dat je nooit echt kent, de vreugde van een verstandhouding en een eindeloze ontdekkingsreis, de diepe emoties van een gevoel dat onvergankelijk is. Als je iedere avond het ene jonge lijf door het andere haarloze lichaam vervangt, begeef je je op een

absurd pad naar een steeds vluchtiger en bedrieglijker genot ...
Het pad naar de misdaad. Niet het huwelijk maakt moordenaars, maar het pad naar het genot. De mens heeft er behoefte
aan om iets op te bouwen met een gelijkgestemde ziel ...'

Stilte. Sergei kijkt me verbluft aan.

'Octave, zit je me in de maling te nemen?'

'Nee, ik meen het ... Je kunt sterven van liefde.'

'Geloof je dat echt, wat je net zei?'

'Ben je wel helemaal lekker? Hahaha, je bent er met beide
poten ingetrapt!'

'Klootzak! Kutfransoos! Hebben jullie gehoord hoe die motherfucking frantsoeski me bijna voor lul had gezet?'

Ik kon niet al te lang weerstand bieden aan het mondaine
cynisme, hoewel ik er niet meer in geloofde. Een man die oprecht verliefd is, kan op dit soort uitjes de sfeer verpesten, en
het laatste wat ik wilde was dat Lena me als een kleffe, bange
spelbreker zou zien.

'Weet je wat het verschil is tussen een huwelijk en een scheiding? Een huwelijk vier je maar een keer, maar een scheiding
vier je iedere avond!'

'Daarom is scheiden zoveel vermoeiender dan trouwen.'

'Wat niet kan verhinderen dat trouw het enige middel is om
zonder kapotje te neuken.'

'Of geld.'

'Over geld gesproken: moet jij voor de volgende verkiezingen
partij kiezen tussen de Abramovitsj-Poetinclan en de Berezovski-Chodorkovskiclan?'

'HOU JE BEK, OCTAVE! Op het hoofd van Steven Seagal: noem
die namen nooit meer in mijn bijzijn, oké? (Hij verkreukelde
mijn Pradajasje met zijn rode, boze vuisten.) We gaan het ergens
anders over hebben, vriend, anders laat ik je opblazen.'

Sergei was gemakkelijk in de omgang, zolang je het niet over
lekgemaakte oliepijpleidingen en binnenlandse politiek had. In
het algemeen zijn rijke Russen er niet happig op dat je ze veel
vragen stelt: zelfs onderling doen ze dat zo min mogelijk. Zo-

als veel miljardairs mocht hij zich graag omringen met beginnende mannequins en onbezonnen jetsetters, en hij leefde in de hoogste versnelling, alsof zijn deportatie naar Siberië voor de volgende ochtend gepland stond. Wanneer we als de vliegende bliksem door Moskou scheurden in een geblindeerde SUV, werden we altijd gevolgd door een auto met lijfwachten in battledress en een limo vol stonede jonge meisjes. Ik sloot mijn iPod aan op de autoradio: ik deed dienst als rijdende deejay (playlist: 2 Many DJ's, The Methadones, Prodigy, Justin Timberlake, Aerosmith en Abba). Ik hielp hem weleens om zijn kudde lichaamsopeningen op peil te houden, maar hij had mij niet harder nodig dan ik hem. Zo worden de sterkste vriendschappen geboren. We gooiden de autosleutels naar de parkeerknechten in rokkostuum die geflankeerd werden door zware jongens met headsets en uitsmijters in zwarte T-shirts die uit model werden getrokken door de holsters. In het begin waren de meisjes onder de indruk van de hoeveelheid kleerkasten die we nodig hadden om alleen maar te gaan dineren in een nouvelle cuisine-restaurant. Iedere keer als we een zandkleurige zaal binnenliepen, riep Sergei:

'Zitten er ook Tsjetsjeense hoerenzonen in de zaal? Kom maar bij papa, klootzakken!'

Ze deden of ze gechoqueerd waren, ze schrokken van de hoogte van de fooien die op de grond werden achtergelaten. Maar na een paar dagen bestelden ze jerobeams Cristal à twintigduizend euro per stuk en snoven ze op de boot met de rest mee. Sergei had oog voor detail: hij had drie jachten in Saint-Tropez, waarvan de twee kleinere dienden om de schijnwerpers te vervoeren waarmee het grootste werd verlicht. Op een nacht vlogen we er met zijn jet naartoe en weer terug. De meisjes raakten snel gewend aan deze manier van leven. Ik herinner me dat een van hen zei: 'Ik ga niet uit met jongens met een Price Earning Ratio van slechter dan 80.' Een andere antwoordde op mijn vraag op wie ze ging stemmen bij de presidentsverkiezingen van 2008: 'Ik ben gek op Dior.'

Als ze voor de lage, besneeuwde tafels van de Shatush, de Opera Club of de Seven lagen en naar balkan groove luisterden, vergeleken ze de grootte van hun horloges, bekritiseerden ze de airco van het vliegtuig, werden ze de hele zomer verkouden. Ze raakten snel verslaafd; daarna was het altijd moeilijk om ze kwijt te raken.

'Nog een kreeftensoep, verdomme!'

Ongelooflijk hoe snel sommige vrouwen bederven. Door de drugs verliezen ze in twee weken tien kilo, ze krijgen holle wangen en hun borsten lopen leeg. Hun roze gezichten worden grijs. Ze glimlachen niet meer, of erger nog: ze glimlachen continu, met lichtgevende neptanden. Je ziet ze langzaam maar zeker in junkies veranderen, halverwege het diner roepen ze uit: 'Hè verdorie! Ik ben mijn minnaar vergeten!' Door de roze champagne kotsten ze de helikopter onder. Het was niet slim van ze om zo snel lelijk te worden, want dan gooiden we ze er direct uit, zonder een traan te laten.

Mijn probleem was dat ik uitging met de beste van allemaal. Ik paste er goed voor op om niet met haar te koop te lopen, maar tegelijkertijd was ik voortdurend doodsbang voor twee dingen: dat ze haar van me af zouden pakken of dat ze niet meer de beste zou zijn. Ik hield iedereen in de gaten: mannen die een dreiging konden vormen en mogelijke concurrentes. Ik weet niet waar ik banger voor was: dat Lena me voor een ander in de steek zou laten of dat Lena minder zou zijn dan een ander. Ik was voortdurend op mijn hoede. Mijn leven was één lange reeks wijd opengesperde ogen en schuine blikken. Ik was het vriendje van het beste meisje van de wereld en dus de meest oplettende man van Rusland. Ik ben zo gemakkelijk te beïnvloeden dat ik niet kan leven, vader. Ik herinner me een lang meisje dat ik ooit schitterend vond. U weet wel, Tanja, dat meisje uit Nizjni, over wie ik het aan het begin van het jaar al heb gehad. Twee vrienden hoefden alleen maar te zeggen dat ze op een paard leek, dat ze te veel tandvlees en te lange voeten had, en ik heb nooit meer een woord tegen haar gezegd. Ik beslis nooit zelf of ik al dan niet van die of die kan houden, ik laat altijd anderen voor me beslissen, zo doe ik dat mijn hele leven al. Ik heb nooit ergens voor gekozen, niet voor mijn beroep en niet voor mijn vrouw. Ik zeg nooit nee, dat vind ik te moeilijk. Ik laat me leiden omdat ik wil dat iedereen van me houdt, omdat ik in de smaak wil vallen. Ik lijk meer op een bolletje klei dan op een menselijk wezen.

10

'Ladies and gentlemen, welcome to the Official Saint Petersburg's Aristo Style of the Moment Contest!'

De regisseur deed het licht in de zaal uit, zodat het publiek begon te applaudisseren. Backstage stonden de meisjes te klappertanden van de kou, wreven over hun armen terwijl ze hun beurt afwachtten. Af en toe kneep een moeder of tante ze in de wangen om ze er goed uit te laten zien, of duwden hun borsten omhoog in hun body om het decolleté mnemotechnischer te maken. Sommige meisjes hadden wallen onder hun ogen omdat ze de hele nacht hadden gepimpeld in de Zabava of de Onegin; zij zouden als eerste afvallen. De Oekraïner Omar Harfoesj stond erop om alle meisjes die kauwgum kauwden weg te sturen. Zo heeft iedereen wel wat. Ik gaf Lena het bevel om haar Bubble Yum met abrikozensmaak discreet in mijn hand te spugen en arrogant te lopen, kaarsrecht, alsof ze over een denkbeeldige draad liep. 'Kijk naar de verte, zoek de horizon. Laat je handen niet hangen, leg ze liever op je heupen; hangende armen doen aan orang-oetans denken. Loop met grote passen, alsof je het gelukkigste meisje bent dat ze ooit hebben gezien. Pas op voor eendenvoeten, draai ze maar een beetje naar binnen, dat ziet eruit als een meisje dat uit school komt en daar houden de pedofielen van dus dat is goed voor de applausmeter en daar staan er veel van in de zaal. Be determined, be fierce.'

Journalisten stelden gematigd interessant vragen: 'Where do you come from?' 'How old are you?' 'Why do you want to become a model?' (Terwijl de enige vraag die er echt toe doet is: 'What is your room number, angel?') De ceremonie verliep erg eenvoudig: een eerste defilé met kleren aan, een tweede in bikini, punten van de jury, wat wellustige commentaren in de microfoon, en klaar was Kees. Ik hoefde niet eens te frauderen:

met haar onschuld, die even gespeeld was als haar nationaliteit, deed Lena zich gemakkelijk gelden, het was niet bepaald een fotofinish, als ik het zo mag uitdrukken (terwijl het wel een van de dagen van haar leven was waarop ze het meest werd gefotografeerd). Ik had me niet vergist, want vrouwenbenen zijn als passers die in mijn ogen steken.

Na haar uitverkiezing stelde Lena me voor aan haar moeder, Olga, een mooie blondine van een jaar of veertig. Ik had het gevoel dat ik haar al een keer eerder had gezien, maar ze gunde me de tijd niet om met haar te praten, zo ontroerd was ze door de overwinning van haar dochter: ze barstte in snikken uit en verdween in de coulissen. Op dat moment kwam Sergei de loge binnen en hij verpestte alles door Lena uit te nodigen:

'Russian Federation ready for discussion! Everybody, come to my house for huge party! Allons enfants de la patrie, le jour de gloire est arrivé!'

Ik probeerde hem af te schepen:

'We komen tien minuten langs, maar daarna gaan we weer ...'

'Onmogelijk. Je bent mijn vriend. Als je komt, moet je minstens tien uur blijven.'

'Ik voelde me als een stuk vlees in een kom lagma (lagma is een Oezbeekse soep op basis van kattenbouillon met drijvende knoedels). Mijn bemoeizuchtige vriend gaf me een wit zakje.

'Octave, use colombian sodium to wake up!'

II

Dans de Slavische slow met mij
Volg me naar mijn negorij
Wil jij, met alle risico's van dien
Het geknipper van mijn ogen zien?

Ik ben een Rus met Slavisch hart
Aangetrokken door de smart
Mijn romantiek is perfide
Ik ben cyclotimide.

Ik zou me graag van mijn ballast bevrijden
En een minder roerig leven leiden.
Maar ik kom uit oostelijke streken
En jij zou onder die last breken.

Toen Elena Dojtsjeva dit las
Bleek dat zij niet onder de indruk was
En haar schip, dat voer voorbij:
Heel veel later trouwde zij.

12

Lena kamer 403 in een lage slip en een roze katoenen singlet:

'Dus je wilt mijn gezicht zomaar aan die tumorfabrikanten verkopen? Wat raar.'

Ik: 'Ja maar ze doen ook andere dingen: ze maken ook melanomen, metastases … Pas op voor de Idioot, die sluit je op in zijn tranenfabriek of verwekt een kind bij je om je moedermelk te kunnen aftappen. Hij levert de ingrediënten van de anti-agingcosmetica aan L'Idéal. Hij geeft al die eeuwigejeugdconsumenten kanker.'

Lena: 'Maar waarom stel je de winnares dan aan die psychopaat voor? Weet je wel zeker dat je van me houdt?'

Ik: 'Ja schat.'

Lena: 'Echt helemaal zeker?'

Ik: 'Ja schat.'

Lena: 'Echt echt helemaal zeker?'

Ik: 'Ja schat.'

Lena: 'Echt echt echt helemaal zeker?'

Ik: 'Nee, dat niet. Niemand weet ooit iets echt echt echt helemaal zeker, je kunt niet alles vragen. Jouw gezicht kan de westerse wereld redden. Het Grootkapitaal heeft je ogen en je tanden nodig om te kunnen blijven verkopen! Je kunt het Westen helpen om de planeet nog een paar maanden langer te domineren. Je pony, je oorlelletjes, je wimpers …'

Lena: 'Hou toch eens op met dat verliefd worden op lichamelijke details! Hou eens van een geest!'

Ik: 'Het schone en het goede zijn hetzelfde. Dat heeft Plato gezegd in de *Phaedrus*.'

Lena: 'Weet ik. Dat heb ik je verteld.'

Ik: 'Iedereen krijgt het gezicht dat hij verdient, zelfs als je veertien bent. Jouw uiterlijk bevalt me omdat de hele rest me ook bevalt. Je intelligentie, je domheid, je borsten die zo stevig zijn dat ze nep lijken, je afschuwelijke gebrek aan geduld, je ambitie waar je wangen paars van worden, je kont die op de grond zou stuiteren, je liefde voor onbereikbare mannen, je stralende blauwe ogen, je elastische huid, alles vormt een geheel. Lange tijd dacht ik dat verlangen rationeel kon worden opgeroepen, en dat je aangetrokken moest worden door het mooiste meisje van de wereld. Ik heb me vergist: nu overkomt me het tegenovergestelde. Nu ik jou ontmoet heb, met je afgekloven nagels en je scherpe hoektanden, je puberale eenzaamheid, je voeten die naar binnen staan en je overdreven ogen, de boeken die je in je eentje leest en het kuiltje in je linkerwang, weet ik dat je het mooiste meisje van de wereld bent geworden. Als het over schoonheid gaat, bestaat er geen objectiviteit. Alleen subjectiviteit kan ons de weg wijzen, met alles wat erbij komt kijken: mijn herinneringen, jouw toekomst, de wereld, neerstortende vliegtuigen, een liedje dat je mooi vindt, landen waar we doorheen hebben gereisd of waar we nog doorheen gaan reizen …'

Lena: 'Je zucht zo hard, wat raar.'

Ik: 'Je zegt heel vaak "wat raar".'

Lena: 'Wat vreemd.'

Ik: 'Hou toch eens op met dat kauwgomkauwen terwijl ik verliefd op je word, dat gaat uiteindelijk een probleem worden. Zullen we een kindje maken?'

Lena: 'Welnee, je bent veel te oud! Dat kind zou veel te kort van je kunnen genieten!'

Ik: 'Dank je.'

Ze streek met haar koffielepeltje langs haar bovenlip. Ik maakte haar aan het lachen door chocolademousse over mijn tanden te smeren. Ze was zo mooi dat ze niets anders hoefde te dragen dan een wit T-shirt.

Ik: 'Denk je dat je ooit van me zult houden?'

Lena: 'Liefde is een baan: stomvervelend … Jij citeert Plato, maar je herinnert je niets van hem. In *Phaedrus* geeft Lysias het advies om alleen gunsten te verlenen aan degenen die niet van je houden.'

Ik: 'Oké, ik haat je, ik zal nooit van je houden!'

Lena: 'Te laat!'

Ik: 'Precies. Ik denk dat jij gekomen bent om een leegte in mijn hart te vullen. Je hebt er volstrekt geen idee van hoe ontzettend perfect je bent.'

Lena: 'Nee, dat klopt ... het schijnt ... dat hangt ervan af ... Wat schiet ik ermee op? Het jaagt alle interessante jongens weg.'

Ik: 'Precies.'

Mijn beuzelarijen kregen haar niet eens meer aan het glimlachen. Ik werd er bedrukt van ('down', zoals een meisje van haar leeftijd zou zeggen). Zodra we op Sergeis afterparty aankwamen om haar overwinning te vieren, wist ik dat ik verloren was. De voordeur met digitaal en vocaal herkenningssysteem, het elektronische oog, de bewakingscamera's, de gewapende bewakers op de wachttorens: de nep-Tsjetsjeense was onder de indruk van het tweede huis van Sergei. Ze gedroeg zich als een verliefd kind, ze deed de autoruit open en stak haar hoofd in de wind, en ik zei tegen mezelf, terwijl ik uit de fles dronk: 'Ik ben niet mans genoeg voor zo'n meisje. Ik ben niet mans genoeg voor haar.' Na vijf minuten begon ze Russisch te praten met de Idioot en zijn kantoorgenoten, in haar ogen danste een vlammetje. Ik maakte geen deel meer uit van haar leven. Ze spraken met elkaar in hun taal, die ik niet begreep, ze flirtte met hem (misschien om me jaloers te maken, misschien omdat ze dacht dat het me opwond, misschien gewoon omdat ze zin had in zijn kale schedel en zijn wrede glimlach). Ik probeerde er ontspannen uit te zien, maar van binnen kookte ik. Ik was de gevangene van dit meisje dat aan mijn greep ontsnapte, terwijl ik juist van plan was geweest haar te dumpen. Ik had mijn afkeuring moeten laten merken, maar ik stond met lege handen tegenover de macht van het geld: ik stond zelfs op om een fles Dom Ruinart open te maken, als een bange huisknecht. Ik zat sullig te mokken in een hoek, ik probeerde haar jaloers te maken door de rug van een paar hoeren te masseren. In nationaal en sociaal oogpunt was ik een vreemdeling geworden, en Lena was me van seconde tot seconde meer aan het vergeten. Nooit heb ik de tijd zo duidelijk voelen verstrijken: ieder ogenblik bracht me verder weg van haar; Sergei wiste me uit met zijn Slavische grappen. Ze droeg een vleeskleurig jurkje met decolleté, het was moeilijk te zien waar haar huid ophield en de stof begon, om gek van te worden. Ik voelde een wrede jaloezie opkomen, alsof ik plotseling ontdekte wat het woord 'verlaten' betekende. Ik sloeg snel na elkaar een paar shots Putinka-wodka achterover en hoopte dat de alcohol me voor eens en altijd zou verdoven. Ik stond te trillen op mijn benen van de ingehouden pijn en kille haat. Ik glimlachte als een groggy boxer die net een hagelbui van klappen heeft geïncasseerd maar niet wil toegeven dat hij knock-out is. Ik wachtte op de gong. Ik kon toch niet op mijn knieën vallen en zeggen: 'Lenotsjka, ik hou van je, laten we hier weggaan!' Terwijl ik er nu zo'n spijt van heb dat ik het niet heb gedaan, omdat ik bang was om voor schut te staan. God, wat belachelijk, die angst om belachelijk te zijn! Ik durfde ten overstaan van mijn veehoudende vrienden niet toe te geven dat ik verliefd was. Ik deed neerbuigend tegen Lena, ik minachtte haar openlijk, behandelde haar respectloos om cool te lijken in de ogen van de anderen (maar zodra ik met haar alleen was, werd ik vloeibaar, ontvluchtte ik haar zoals Goethe Friederike Brion). Sergei beledigde me in het Russisch: 'Nje sloetsjajna' ('niets is toeval'), zei hij steeds, hij werd omringd door zijn hofhouding, Lena verwijderde zich van mij en ging dichter bij hem staan en ik deed niets om hem tegen te houden en zij deed niets om zich te verdedigen. Hij sleepte haar mee naar de orgiesalon, waar meisjes in hun blote borsten op hun knieën zaten. Ik deed mijn ogen dicht om mijn tranen van woede in te houden en ik draaide me op mijn hakken om … Lena vroeg of ik naar huis wilde. Ik zei: 'Goedenacht.' Ik was verdrietig omdat ik verdrietig was, Lena was gelukkig omdat ze verdrietig was. Het misverstand tussen mannen en vrouwen wordt groter als ze niet weten dat ze van elkaar houden. Ik wilde niet dat ze zou zien hoe geëmotioneerd ik was. Mannen waren verworden tot gebroken harten die een hoge borst opzetten: Valmonts die hun pruik hebben ingeruild voor een mobieltje met bluetooth-headset. Ik heb haar nooit meer teruggezien. Door het raam zag ik hoe de andere meisjes haar handen achter haar rug hielden, haar sensueel uitkleedden, haar kusten, haar dwongen om de mannen van top tot teen af te likken. Sergei gaf instructies en zij voerde ze gehoorzaam uit. Ik bekeek het schouwspel terwijl ik achteruit wegliep. Ik hoopte dat ze me om hulp zou roepen, maar ze liet ze begaan. Of misschien riep ze wel om hulp maar was ik al te ver weg en hoorde ik haar niet, ik nam het haar te zeer kwalijk dat ze met me mee was gegaan, ik haatte mezelf om mijn lafheid, ik wilde dat ze me zou missen, me zou smeken: 'Octave, neem me mee, wat doen we hier?' maar ze liet ze begaan, zuchtend en met halfgesloten ogen liet ze zich gaan. Ze kon niet om hulp roepen want haar mond was in gebruik. Misschien vond ze het fijn om bevelen te krijgen; misschien had ik wel nooit bestaan. Het laatste beeld dat ik van haar heb is dat ze zich bukt om met gesloten ogen op Sergeis vingertoppen te zuigen. In het park van de datsja dreven stapeltjes vijfhonderddollarbiljetten op het water van het zwembad. De bedienden probeerden op handen en voeten de biljetten te verzamelen die klemzaten in het plastic rooster.

Dostojevski was ervan overtuigd dat schoonheid de wereld zou redden, maar stel dat schoonheid de wereld juist vernietigt? In *Nip/Tuck* zegt een seriemoordenaar dat 'schoonheid de vloek van deze wereld is' (terwijl dokter Troy een lelijk wijf neukt en een papieren zak over haar kop trekt). Vader, het ogenblik waarover ik het heb is heel belangrijk: net als in *Misdaad en straf* kan ik ervoor kiezen om de knop in te drukken en alles te vernietigen of juist beslissen om het niet te doen, en het is niet alleen mijn beslissing, maar ook die van jou, en van Lena, en van God misschien, als hij zich zou verwaardigen om zich voor ons te interesseren. Als ik de knop indruk, ben ik niet de enige oorzaak van de explosie, we begaan een gezamenlijke misdaad. Ik ben voorstander van de collectivisering van de misdaad. Ik ben communist.

13

Ik ben niet mans genoeg voor haar. Later hoorde ik hoe de avond was afgelopen. Iedereen was zo ladderzat geworden dat ze uiteindelijk de kussens gingen opensnijden. Toen ze alle ganzenveren in de lucht hadden gegooid, goten ze honing over de gasten heen en rolden ze daarna door het dons. De orgie was veranderd in een kippenhok van menselijk formaat. Het schijnt dat de schoonmaaksters de volgende dag om opslag voegen. Lenin, kom terug, ze zijn gek geworden!

Iemand als Sergei is niet op zoek naar schoonheid, maar – veel erger – naar iets nieuws (zoals Casanova: 'Het nieuwe is de tiran van mijn geest.'). Hij wil nog een naam aan zijn lijst van veroveringen toevoegen. Sinds ik die avond ben vertrokken, beschermt de Idioot me niet meer. Hij weet dat we geen vrienden meer zijn. Mensen zoals hij hebben een hekel aan iedereen die ze een gunst verleent. Een vriend die je een uitstekende tranenproducente bezorgt, kan maar één ding worden: een vijand. Het kan me niet verdommen; hij is degene die me met explosieven heeft leren omgaan. Stroomdraad, kneedspringstof, ontstekers die verbonden zijn met mobiele telefoons, echt waar, ik ben hem heel veel dank verschuldigd. Begrijp je? Als alles hier de lucht in gaat, is dat aan hem te danken. Hij spaart vuurwapens. Ik heb een waar arsenaal bij hem vandaan: uzi's, granaten, bazooka's, TNT … Toen de machthebbers de nationale industrieën aan jullie uitdeelden, gaven ze daarbij de middelen om ze te beschermen; dat is wel het minste als je wil vermijden dat de fabrieken opnieuw in handen van het volk vallen, als dat weer in opstand komt. De avond dat ik vluchtte en ondergronds ging, heb ik mijn slag geslagen in zijn munitiekelder en een Hummer vol explosieven gestolen. Ik heb Lena geruild voor een auto die niet onderdoet voor de vrachtwagen uit *Le salaire de la peur*. Genoeg om die 'maffe inktpot' van jou op te blazen!

Straks komt Lena ... Ik pak haar hand en vraag haar vergeving, alsof ik om hulp roep. Begrijp me goed, starets, ik heb een grote fout gemaakt: ik heb haar zelf gevraagd om aan mij te ontsnappen, en zij heeft gehoorzaamd! Al tijdens onze wandeling in de Zomertuin, na die sublieme, verschrikkelijke nacht samen, toen we op het bankje onder de eikenbomen zaten, wilde ik een spelletje met haar spelen.

'Op de dag dat je de mijne wordt, ga ik me vervelen en dan zal ik je heel duur laten betalen.'

'O ja?'

'Ja, zo zit ik in elkaar. Ik zal van je houden zolang jij niet van mij houdt.'

'Waarom gebruikt u zulke grote woorden? U trilt helemaal, rustig maar ...'

Ze dronk bier uit de fles; haar nagels waren zo blauw als haar pupillen.

'Lena, zou je me alsjeblieft willen tutoyeren?'

'Maar ik spreek helemaal geen Frans!'

'Ja ... in het Engels bestaan "jij" en "u" niet en toch ook wel, net als Schrödingers kat.'

'U bent heel raar, Octave. U zegt allerlei gemene en romantische dingen terwijl we nog maar één nacht met elkaar hebben doorgebracht.'

'Een nacht kan een paar levens duren.'

'Dat was niet echt zo.'

'De realiteit doet volstrekt niet ter zake.'

'Sprookjes bestaan niet.'

'Wel waar; sprookjes zijn zelfs het enige dat wel echt is. Je moet lef hebben om in sprookjes te duiken. Je moet geloven in Grimm en Perrault zoals je in God en de Kerstman gelooft, geloven in liefde en in geluk, in het delen van rijkdom en in universele rechtvaardigheid, in een planetaire regering, in de Herrijzenis van het vlees en in de Onsterfelijkheid van de ziel. En in reuzen.'

'Je hoeft me alleen maar wakker te houden. Ik vond onze

kussen fijn, weet je, ik ben een jaar geleden ontmaagd, ik zou aan je kunnen wennen, ik zou u zelfs graag goed willen leren kennen.'

'Blijf toch aan me ontsnappen, o vreemd en bekend wezen. Geloof me, dat is beter voor ons allebei.'

'Goed, da svidanja dan.'

Ze sprong overeind, ik kreeg er een hoestbui van. Er bestaan vast mooiere dingen, maar ik ken ze niet. Ik wendde mijn blik naar de kruin van de dennen waar een meeuw krijste. In het water van de parkvijver bewonderden stukjes Sint-Petersburg zich in de waterspiegel, ondanks het slibachtige water. Ik pakte haar arm, nogal macho (ik dacht dat ik Michel Strogoff was). Ze keek me verdrietig aan.

'Je bent net als de andere mannen. Als ik alleen maar opsta, ren je al achter me aan. Je stelt me teleur.'

'Jij mij niet.'

'Ik ben heel anders dan jij: ik kan liefhebben. I can love. You are just pretending.'

Toen zei ze nog iets in het Frans:

'Weet je zeker dat ik je moet tutoyeren?'

Ik sloeg mijn ogen neer zodat ik niet hoefde te zeggen: Oui, je veux que tu me tues, toi.

Ze liet toe dat ik haar hand pakte. Ik ging op het bankje liggen, zij ging in amazonezit boven op me zitten, met de knieën tegen elkaar onder haar korte jurk, en ik begreep dat je van iemand kon houden zonder haar hand ooit nog los te laten.

14

Ik ben high ... Holy man, weet je dat ik nog altijd niet begrijp hoe je ... Ik snap echt niet wat het voor belang heeft om iets anders te doen dan de liefde te bedrijven. Wanneer komt ze? Waarom lach je? Vader, het is niet aardig om mijn gevoelens belachelijk te maken! Vertrouw ik je een keer iets moois toe, iets groots, iets goeds, en jij begint meteen minachtend te grijnzen, heel onaangenaam, ik zou me er zo over kunnen opwinden dat ik hierop druk en dit gesprek beëindig ... De enige reden dat ik me inhou en deze gloednieuwe kathedraal niet laat ontploffen is dat ik op Lena wacht zodat ik haar mee kan nemen naar de Ngoro Ngoro Crater Lodge, in een Masaihut, om de roze flamingo's te wekken als de Tanzaniaanse zon opkomt. Hoe bedoel je, ze komt niet? Wat zeg je ... de rue Daru? Hou toch op over de rue Daru, ik heb het over liefde, over de vrouw van mijn leven! Ik dacht dat we een deal hadden: jij geeft me Lena en jij krijgt je kathedraal terug! Wat heeft Lena Dojtsjeva nou met de rue Daru te maken, waar ik je in de jaren negentig heb ontmoet? Hoe zeg je? De serveerster bij de Russische kruidenier? Ja, best wel ja, best schattig die Olga, Oljenka, weet ik veel, goed, ik ben een paar keer met haar naar bed geweest toen, en wat dan nog? Hè? Ze heette Olga hoe? NEE. Dojtsjeva, dat kan niet, zo heet Len ... de data kloppen niet. Wacht ... Olga, dat was in ... 1992 ... Nee, je neemt me in de maling. Tvajoematj! Nee, dat kan ik niet zijn, zeg dat je me in de maling neemt, maakt me niet uit, ik eis een DNA-test! Hoe heb je me dit kunnen aandoen, o, je wist het al vanaf het begin, in Parijs werd je verliefd op haar moeder en na veertien jaar neem je wraak, daarom leek Lena dus zo op me, onbewust heb ik het altijd geweten, je wilde me het geloof teruggeven door me naar mijn dochter te brengen, O MIJN GOD, IK MOET HUILEN HET IS TE ERG HOU OP MET LACHEN JE BENT DE DUI

Na twee weken hebben de Moskovische brandweereenheden het zoeken naar overlevenden gestaakt. De soldaten van het Russische leger hebben de ruïnes twee maanden lang doorgespit, een tiental landen stuurde troepen en materieel om ze te helpen, de French Doctors en een paar psychologische crisisteams hebben geholpen met de zorg en het herstel van de vele gewonden van de instorting, die door herdershonden waren opgespoord en daarna waren uitgegraven. Er werden 526 doden en vermisten geteld en 362 gewonden. Het lichaam van Octave Parango is nooit formeel geïdentificeerd.

In de stad deed lange tijd het gerucht de ronde dat diverse getuigen een individu hebben gezien dat voldeed aan zijn signalement (een lange, dunne man met een baard en lang haar) die zichzelf drie dagen na de ramp uit het puin wist te bevrijden en als door een wonder ongedeerd was, om vervolgens het stof van de flarden van zijn jasje te kloppen en zich een weg door het puin te banen en achter het stuur van een van het Internationale Rode Kruis geleende vrachtwagen te verdwijnen. De naspeuringen van de FSB en de politie om dat voertuig terug te vinden hebben tot op heden niets opgeleverd. De afluisterapparatuur op de lijn van zijn natuurlijke dochter Lena Dojtsjeva, de 'Tsjetsjeense' mannequin die bij L'Idéal onder contract staat, heeft ook geen resultaten opgeleverd. Overigens heeft de terrorist zich volgens hetzelfde gerucht in Tasjkent bij de jonge vrouw gevoegd, alwaar zij na het schandaal een veilig heenkomen heeft gezocht met haar verloofde, de bekende snowboarder Vitaly Rostov. Er wordt gezegd dat de familie onder bescherming van de Russische geheime dienst is geplaatst, aangezien de aanslag gunstig is geweest voor het aan de macht komen van de huidige regering. Diverse journalisten die onderzoek deden naar de banden tussen Oilneft en de aanslag zijn in de daaropvolgende maanden om het leven gekomen. De verzinsels zijn evenwel nergens op gebaseerd, aangezien de krankzinnige officieel in het puin vermist is verklaard. Het onderzoek naar de verantwoordelijken voor de verwoesting van de Christus-Verlosserkathedraal te Moskou is op 20 april jongstleden afgesloten: de dag dat Sergei Orlov, de voormalige

CEO *van Oilneft, tot president van Rusland werd gekozen na een korte campagne die sterk draaide om openbare veiligheid en de verdediging van nationale en christelijke waarden.*

Andere mensen — de stakkers! — beweren dat dit verhaal van a tot z verzonnen is.

Moskou-Parijs,
2005-2007

'Als de globale les van de twintigste eeuw niet als vaccin zal dienen, zou de enorme orkaan weldra in al zijn hevigheid opnieuw kunnen opsteken.'

ALEXANDER SOLZJENITSIN

Frédéric Beigbeder bij De Geus

€ 24,99

Octave Parango is copywriter bij 's werelds grootste reclamebureau. Hij is heer en meester over ons: hij bepaalt vandaag wat wij morgen wensen.

Octave leeft er goed van: geld, vrouwen, mooie auto's en cocaïne houden hem in het gareel. Maar op een dag slaan de stoppen door. Hij besluit een allesonthullend boek te schrijven over de 'zeden' in de reclame. Dit boek zal hem bevrijden uit de gevangenis die ADVERTISING AGE heet.

Liefde duurt drie jaar

Een mug houdt het een dag uit, een roos drie dagen. Een kat leeft dertien jaar, de liefde drie. Het is niet anders. Het eerste jaar is vol passie, dan volgt een jaar van tederheid en ten slotte een jaar van verveling.

Het eerste jaar zeg je: 'Als jij bij me weggaat maak ik me DOOD.'

Het tweede jaar zeg je: 'Als jij bij me weggaat zal me dat verdriet doen, maar ik kom er wel overheen.'

Het derde jaar zeg je: 'Als jij bij me weggaat trek ik een fles champagne open.'